プログラマーは
世界をどう見ているのか

ひろゆき

［西村博之］

（はじめに）なぜ世界のトップは プログラマー出身なのか？

● 世界のトップ層は、プログラマー出身者

　2022年4月、アメリカの経済誌『フォーブス』が2022年版の世界長者番付（World's Billionaires）を発表しました。その結果は次になります。

1位	イーロン・マスク（テスラ共同創設者） 資産2190億ドル（約26兆9400億円）
2位	ジェフ・ベゾス（アマゾンドットコム共同創業者） 資産1710億ドル（約21兆300億円）
3位	ベルナール・アルノー（LVMH CEO） 資産1580億ドル（約19兆4300億円）
4位	ビル・ゲイツ（マイクロソフト共同創業者） 資産1290億ドル（約15兆8700億円）
5位	ウォーレン・バフェット（バークシャー・ハサウェイCEO） 資産1180億ドル（約14兆5100億円）
6位	ラリー・ペイジ（グーグル共同創業者） 資産1110億ドル（約13兆6500億円）
7位	セルゲイ・ブリン（グーグル共同創業者） 資産1070億ドル（約13兆1600億円）
8位	ラリー・エリソン（オラクル共同設立者） 資産1060億ドル（約13兆400億円）
9位	スティーブ・バルマー（マイクロソフト元CEO） 資産914億ドル（約11兆2400億円）
10位	ムケシュ・アンバニ（リライアンス・インダストリーズ会長） 資産907億ドル（約11兆1600億円）

　テスラ共同創設者のイーロン・マスクが、アマゾンドット

コムの共同創業者ジェフ・ベゾスを抑えて、初めて1位になりました。トップ10全員が資産10兆円を超えている大富豪です。参考になるかわかりませんが、過去最高額を更新した2022年度東京都の一般会計が7.8兆円ですから、いかに莫大な資産を形成しているかがわかります。

このリストに載っている世界のトップ層ですが、この中の過半数が、ある職業の出身者です。それが、本書のテーマでもある、**プログラマー**。テスラのイーロン・マスク、アマゾンのジェフ・ベゾス、マイクロソフトのビル・ゲイツ、グーグルのラリー・ペイジとセルゲイ・ブリン、オラクルのラリー・エリソンの6人が、プログラマー出身者であることが知られています。この他にも、フェイスブックの創始者であるマーク・ザッカーバーグも、プログラマー出身者として有名です。

● プログラミングは食いっぱぐれることがないスキル

なぜ、世界のトップは、プログラマー出身者なのか。

これは、彼らが活躍するIT業界そのものの市場拡大が、直接的な理由でしょう。マイクロソフトのOSやアプリが入ったパソコンを使い、グーグル検索で情報を得て、アマゾンで気に入ったものを買う。インターネットが発展し、世界中に広まったことで、人々のライフスタイルは一変しました。

そんなIT市場の拡大からは、先にあげた世界のトップ層といわずとも恩恵を受けています。厚生労働省が発表した2021年分の「賃金構造基本統計調査」によれば、日本のソフトウェア作成者（プログラマー、社内システムエンジニア含む）の平均年収は約523万円。国税庁が発表している2020年

分の「民間給与実態統計調査」で、日本人の平均年収は433万円とされていますから、ソフトウェア作成者の平均年収は高いといってもよさそうです。

　日本においては、IT人材自体が人手不足のようで、経済産業省からは、2030年には79万人のIT人材が不足するという、衝撃的な数字まで発表されています。ITエンジニアの需要は増えているのです。

　僕が、「プログラミングができたら、食いっぱぐれることはない」と動画やメディアを通していっているのも、こうした背景があります。今の日本で、年収1000万円を目指そうとすると、外資系企業やテレビ局に入るための学力（学歴）、ネットを使ったインフルエンサーとなるためのコミュニケーション能力やアイデア力が必須です。一方、プログラマーは、学歴やコミュ力がなくても、能力を磨けば、ある程度稼げたりするので、座学が苦手とか、コミュ力に難がある人にはおすすめの職業なんです。しかも、海外なら、プログラミングスキルを持っている20代のSEで年収1000万円とかは、当たり前です。

　僕は現状のままだと、日本経済は衰退していくばかりと思っていますが、プログラミングスキルがあれば、日本がダメになっても、海外で働いて生きていくこともできます。

● プログラミングをすることで得られる能力

　需要の拡大により、金銭的な恩恵が得られるだけではありません。日本では2020年からプログラミング教育が必修化されましたが、プログラミングのスキルを身につけるだけでなく、その学習を通して、**論理的思考力**、**創造性**、**問題解決**

能力を育成する側面にも注目していると、文部科学省はいっています。

　もちろん、プログラミングができても、おバカな人はたくさんいます。ただ、論理的思考力やアイデア力を持っているプログラマー出身者がたくさんいるのも事実ですし、世界のトップ層がプログラマー出身者で占められている一因に、こういった能力も関係しているのではないでしょうか。実際、優秀なプログラマーは、パソコンの前に座って、一日中パチパチとキーボードを打っている時間より、「どうしたらもっと効率よくプログラムできるか」「今より短い『手抜き』のコードはないか」と考える時間のほうが多いのです。

　ちなみに、僕は、自分のいちばん得意なことが問題解決をすることだと公言していますが、これも、小さい頃からプログラミングをしていたことと無関係ではないかもしれませんね。

　本書では、プログラミングを身につけることで副産物的に得られたり気づけたりする能力、具体的には、情報整理術、俯瞰で物事を見る目、相手に合わせて指示するやり方、物事を効率化する方法、数値化する力、優先順位を見極めること、仮説を立てる癖、論破力、シミュレーション力、仕事を熟練させる方法、アイデアを形にする能力、模倣するショートカット術などについても、言及していきます。

● **僕とプログラミングとの関わり方**

　なお、プログラミングというと、「なんとなく難しそうだ」と思われがちで、特に文系出身者の人から「自分たちに習得は無理」という声も聞かれます。

しかし、僕がプログラミングを始めたのは、小学3、4年生の頃。当時、親に「ファミコンを買って」とねだったら、父親がパソコンを買い与えてくれて、以来、プログラムを書くようになりました。小学校で必修化するくらいのものですから、たいして難しいものではないのです。

それに、僕自身、文学部教育学科心理学コースという文系出身のプログラマーです。プログラミングは、高校を卒業できる程度の知力があれば、ある程度は誰でもできてしまうものだと認識しています。

一方で、自分はプログラマーとして優秀かどうかと問われれば、謙遜(けんそん)でもなんでもなく、凡人レベルと答えます。これは、小学生のときに『MSXマガジン』(アスキー刊)という雑誌に載っていたプログラムを見た際に、既に思い知らされました。

当時のパソコンゲームでは、テンキーの「4」を押すとキャラクターが左に1ドット動き、「6」のキーを押すと右に1ドット動くという処理をしたものが多い状況でした。この処理をプログラミング的な言葉で説明すると、以下のようになります。

> もし「4」が押されたら、キャラクターの座標から1を引き左に1ドット動かせ
> もし「6」が押されたら、キャラクターの座標に1を足して右に1ドット動かせ

僕を含め、多くのプログラマーが思いつく一般的な方法は、このように2行の処理をしなければならないものです。

しかし、雑誌に載っていたのは、以下の1行のみでした。

> 押されたキーから5を引いて、キャラクターの座標に足せ

たとえば「6」が押されたら、6-5=1ということで、キャラクターの座標に1が足され、右に1ドット動くことになります。「4」が押されていたら、4-5=-1ということで、キャラクターの座標に-1が足されて、左に1ドット動くことになります。

　つまり、この雑誌で取り上げたコードを書いたプログラマーは、一般的な方法だと2行の処理をしなければいけないものを、1行で表現していたのです。プログラマー的な説明をさらに加えると、本書の第3章で説明する分岐処理で、「もし〜なら」というif文を使うのが一般的な方法です。しかし、このif文を使わないほうが、無駄な処理をせずに済むので、処理が軽くなります。1行で表している短い処理は、キーボードの数字を座標に足しているだけで、if文を使わない優秀なコードといえました。

　コンピューターの性能が向上した最近では、短いコードより、長くても理解しやすいコードのほうが評価されるようになりつつありますが、雑誌でこのプログラムコードを見たとき、「こんな発想を抱けなかった自分は、プログラマーとしての才能はないな」と改めて気づかされました。

　しかし、そんな凡人プログラマーな自分でも、その後、Perl（パール）というプログラミング言語を覚え、わからないことは「あめぞう掲示板」を通して第三者に聞いたりしながら、「2ちゃんねる」を作り、運営するまでに至りました。

　その後も、「ニコニコ動画」の取締役管理人を務めたり、プログラマーとしても複数の企業運営に携わりました。近年だと、2019年に、「ペンギン村」というクローズドコミュニティサービスを開発し、運営しています。

そのような立場でこの本を出していることを、先に伝えておきたいと思います。

● 「実際、手を動かして書く」ことで学べること

本章に入る前に、最後に、もう少し説明しておきたいことがあります。

まず、今回、この新書を作るうえで、「実際、手を動かしてプログラムを書く」ことを重視したことです。これは、僕自身の経験則でもあるのですが、まずは「書かれた通りに動く」体験をすることを優先しました。座学的に、理論ばかりを説明するより、簡単なコードを書いてもらったほうが、「プログラマーはこういうことを書いているから、こんな考え方になるのか」といったことも伝わると思ったからです。それに、本書は、「この1冊を読めばヒットするアプリが作れる」という本ではありませんが、アプリを作るためのスタートラインまで導くことはしたい、と個人的に思ったこともあり、実際にプログラムを書いてもらう、という内容に仕上げました。

そんな考えから、取り上げる言語はHTML（エイチティーエムエル）とJavaScript（ジャバスクリプト）の2つに絞りました。この2つはWebブラウザに命令を出すプログラミング言語で、パソコンとWebブラウザさえあればすぐに始められるという意味で最初のハードルが低いからです。これら2つを学習してもらいながら、プログラミングを体験・理解していきます。

また、この新書では、プログラムをできるかぎり簡単にするために、それを書かなくても動くならカットする、という

方向で作らせてもらいました。「関数」や「オブジェクト」といった専門用語も、本格的な勉強を始めてから覚えればいいことなので、極力触れていません。

なお、本文中に「サンプルファイル名：」の記述があるものについては、本書で取り上げるプログラムコードをダウンロードできるようにしています。「コードを書いたけど、本と同じ結果が出ない」と思ったら、P.187を参考に、サンプルファイルをお使いください。

ということで、本書は、プログラミングを学んだことがない人でも、読めるレベルになっています。この本を読んだあとに、世界の見え方がちょっと変わる、そんな体験をしてもらえればうれしいです。

ひろゆき

目次

物事を「最小単位」に分解して並べる ⸺⸺ 61

第 5 章

プログラミングを学べば、
アイデアを形にする力を得られる ┈┈┈┈┈ 161

第 1 章

「ツリー思考」で
整理する

01 コンピューターは "おバカ"で"従順"

● プログラミングの第一歩

　早速なのですが、**HTML**を書いてみましょう。Windows の「メモ帳」アプリ（macOSなら「テキストエディット」アプリ）とWebブラウザさえあれば作れます。Webブラウザは Edge でも Chrome でも、何でもいいです（※）。

　メモ帳を起動したら、試しに以下を入力してください。ただの文章なので、多少適当でもかまいません。

ひげおやじ物語
むかしむかしあるところに、死んだ魚の目をしてる性格の悪いデブのおっさんがいました。

　入力したら、デスクトップに保存してください。名前も適当でいいのですが、名前の最後を必ず半角の「.html」にしてください。これだけ守ってもらえたら、あとは保存したファイルをダブルクリックしてWebブラウザで開くだけです。これでWebページのできあがりです。

※macOSのテキストエディットをお使いの方は、少しばかり設定が必要なので、先にP.190を読んで設定してください。また、WebブラウザはSafariではなくChromeを使ってください。

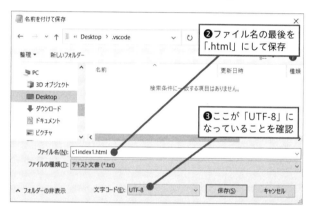

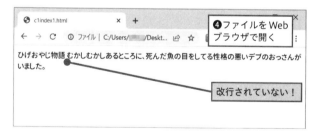

　でも、これだけでしたら、「入力した文章がそのまま表示されただけ」と思う人もいるかもしれません。それどころか、よく見ると、元のテキストの改行が無視されています。

そこで、メモ帳を使って次のように変更してみましょう。タイトルの前後に<h1>と</h1>を加えます。「<（小なり）」「>（大なり）」も「h（小文字のエイチ）」も「1（数字のいち）」も**全部半角**です。

サンプルファイル名：c1index1.html

<h1> ひげおやじ物語 </h1>
むかしむかしあるところに、死んだ魚の目をしてる性格の悪いデブのおっさんがいました。

ファイルを上書き保存したら、Webブラウザをリロードします。すると、タイトルのところが少し目立つようになりました。

先ほど付け加えた<h1>が、「タイトルを目立たせろ」という指示になっているのです。もちろん、これだけでプログラミングを理解できるわけではないのですが、一応コンピューター向けの命令を書いたことになります。プログラミングの第一歩です。

メモ帳でHTMLファイルが開けない?

メモ帳でHTMLファイルを開くときは、[開く]ダイアログの右下のリストで[すべてのファイル (*.*)]を選ばないとダメです。そうしないと、HTMLファイルが一覧に出てきません。

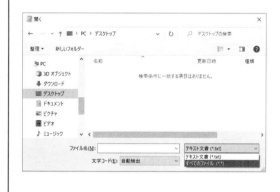

● 融通の利かないコンピューター

<h1>のようなコンピューター向けの命令を**タグ**といいます。タグは英語で荷札のことで、テキストの一部に「ここはタイトルだよ」という札を付けたわけです。テキストの先頭に書くものを**開始タグ**、最後に書くものを**終了タグ**と呼びます。終了タグには「/ (スラッシュ)」が付いています。「/」ももちろん半角です。

`<h1>`ひげおやじ物語`</h1>`

開始タグ　　　　　　　　　　　　　　終了タグ

　人間でしたら文章をザッと読んで、「最初の段落はたぶんタイトルだな」と見当を付けることもできます。しかし、コンピューターにはそれができません。「ここが見出しですよ」「ここが本文ですよ」と、印を付けてあげないといけないんです。**コンピューターは、正しく教えないと、正しく反応してくれません。**融通が利かず、意外に"オバカ"なんです。

　たとえば、次のように文章の途中で改行して表示したいと思います。

> ひげおやじ物語
> むかしむかしあるところに、死んだ魚の目をしてる性格の悪いデブのおっさんがいました。
> ある日、ニコニコ動画で生放送のライブストリーミングを配信していると、家に覚えのない小包が届きました。

　読むのが人間ならば、「指示を出している人は、ここで改行したいのだろう」と推測してくれるでしょう。しかし、コンピューターは融通を利かせてくれません。そのため、先ほどと同じように、改行しないままで出力されてしまいます。

　以下のように
という改行を指示するタグを付けることで、コンピューターは、初めて改行の命令が理解できるのです。

サンプルファイル名：c1index2.html

ひげおやじ物語
 ── ここで改行
むかしむかしあるところに、死んだ魚の目をしてる性格の
悪いデブのおっさんがいました。
 ── ここで改行
ある日、ニコニコ動画で生放送のライブストリーミングを
配信していると、家に覚えのない小包が届きました。

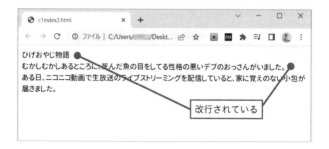

　HTMLのタグはたくさんあります。他のも試してみましょう。ダウンロード可能なサンプルファイル（P.187参照）も用

意しているので、それを使ってもらっても大丈夫です。タグ
で言葉を挟んでみてください。

サンプルファイル名：c1index3.html

```
<h1> ひげおやじ物語 </h1>
<p> むかしむかしあるところに、<mark> 死んだ魚の目 </
mark> をしてる <del> 性格の悪い </del> デブのおっさ
んがいました。そんなある日、<small> ニコニコ動画 </
small> で生放送のライブストリーミングを配信している
と、<strong> 家に覚えのない小包 </strong> が届きました。
</p>
```

　ファイルを上書き保存して、Webブラウザをリロードし
てみましょう。ところどころ太字や打ち消し線付きで表示さ
れます。

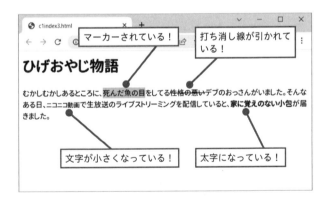

　それぞれのタグには以下のような意味があります。

- markタグ……マーカー表示。目立たせたい部分を示す
- delタグ……打ち消し線。削除したことを示す
- smallタグ……小さい字。注釈などの部分に使う
- strongタグ……太字。重要性や緊急性を示す
- pタグ……段落。見出しでも箇条書きでもない普通の文章
  は、原則これで囲む

　こういう感じに覚えるタグを増やしていくと、できること
もどんどん増えていきます。実際にこれをやってみて「へぇ、
面白いな」と感じられるかどうかが、プログラミングに最低
限必要な素質だったりします。**命令した通りの結果が出る快
感**。「はじめに」で紹介した世界を動かすITサービスを作っ
たすごいプログラマーの人たちも、みんなそこから学んでき
たのです。

● **相手に正しく伝わらない原因は？**

　そのため、HTMLのタグは、少しでも間違えるとうまく
いきません。たとえば、<h1>（エイチいち）を<hl>（エイチ
エル）と書いたり、<p>を<q>、<mark>を<merk>と書い
たりすると正しく認識してくれません。

```
<hl> ひげおやじ物語 </hl>
<q> むかしむかしあるところに、<merk> 死んだ魚の目 </
merk> をしてる <dal> 性格の悪い </dal> デブのおっさ
んがいました。そんなある日、<smoll> ニコニコ動画 </
smoll> で生放送のライブストリーミングを配信している
と、<sutorong> 家に覚えのない小包 </sutorong> が届きま
した。</q>
```

ひげおやじ物語 "むかしむかしあるところに、死んだ魚の目をしてる性格の悪いデブのおっさんがいました。そんなある日、ニコニコ動画で生放送のライブストリーミングを配信していると、家に覚えのない小包が届きました。"

　コンピューターは、適切な命令を渡せば、適切に動いてくれます。思うように動いてくれなかった場合は、十中八九、命令しているプログラマー側に原因・責任があります。

　人ばかりを相手にしていると、こういう発想にならないことも多いかもしれません。指示を出した部下や下請けの会社が、思うように動かない。こういうとき、ついつい、「あいつは無能だ」「彼らは理解する能力がない」と決めつけてしまいます。もしくは、そういった態度を示して煙たがられている上司や取引先が身近にいないでしょうか？

　一方、プログラミングを始めると、「正しく指示すると、正しく表示される」「正しく表示されるには、正しく指示する必要がある」という、ごく当たり前で、シンプルな思考の基礎を、身につけることができます。

　自分の指示した通りに人が動かなかったり、物事が進まなかったりした際も、プログラマー思考を身につけていれば、「もしかすると、自分の指示が間違っているのでは？」「自分に説明する能力がないのでは？」と気づき、問題解決につながることもあります。

　そもそも、コンピューターは人間の言葉をまったく理解していないのです。すべては意味不明な記号でしかなく、理解

できるのはタグのところだけ。だから、そこが間違っていたらお手上げです。

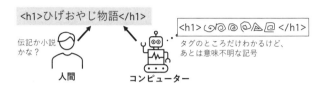

<h1>ひげおやじ物語</h1>
伝記か小説かな？
人間

<h1> ⟋⟍ ⟍⟋ ⊚ ⊘⚐⊜ </h1>
タグのところだけわかるけど、
あとは意味不明な記号
コンピューター

　コンピューターと付き合うときは、宇宙人か謎の生物が相手ぐらいに思ったほうがいいのですが、人間に対してもそのような態度で付き合うほうが、無駄な怒りのストレスを抱えないで済むようになります。もし、あなたが他人に指示するとき、怒りっぽくなってしまうなと感じているならば、プログラミングを学び始めてください。あなたの説明力や他人への理解力が上がるとともに、周りからの評判も上がるかもしれません（プログラマーには、コミュニケーション能力を欠く人も多いのですが……）。

　タグを使えば、特定の命令だけかろうじて通じるものの、あとの意思疎通は不可能。ただし、必ず指示した通りに仕事をしてくれます。おバカで融通が利かないけれど忠実でカワイイ。そんなふうに思えば、コンピューターとうまく付き合えるようになるんじゃないでしょうか。

● **imgタグで画像を表示させる**

　文字ばかりだと面白くないので、Webページの中に画像を表示してみましょう。まず、画像を用意して、HTMLファイルと同じようにデスクトップに置いておきます。ファイ

ル名は「oyaji.png」としておいてください。ダウンロードサンプル（P.187参照）の中にこの画像ファイルも入っているので、それを使いましょう。

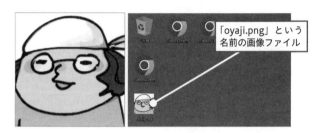

「oyaji.png」という
名前の画像ファイル

　HTMLファイルの2行目に**imgタグ**というものを追加して、「src=" "」のところにファイル名を書きます。「=（イコール）」も「"（ダブルクォート）」も半角です。

```
<h1> ひげおやじ物語 </h1>
<img src="oyaji.png">　　━━ これを追加
<p> むかしむかしあるところに、<mark> 死んだ魚の目 </
mark> をしてる <del> 性格の悪い </del> デブのおっさ
んがいました。そんなある日、<small> ニコニコ動画 </
small> で生放送のライブストリーミングを配信している
と、<strong> 家に覚えのない小包 </strong> が届きました。
</p>
```

　ファイルを上書き保存してWebページをリロードすると、Webページの中に画像が表示されました。

● フォルダの中に画像ファイルを入れると

　デスクトップにファイルを置くのが嫌いな人がいます。そういう人が親切心で画像ファイルのみをフォルダにまとめてくれたとします。

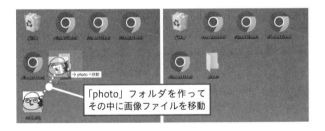

「photo」フォルダを作って
その中に画像ファイルを移動

　この状態でWebページをリロードすると、画像がリンク切れになってしまいました。

　何でこうなってしまうのかというと、src=" "に画像ファイルの場所を指定したあとで、元の画像ファイルをデスクトップからフォルダ内に動かしてしまったからです。ファイルをフォルダ内に移動したら、それに合わせて「フォルダ名/ファイル名」の形で指定してあげないといけません。そのため「photo/oyaji.png」としなければいけないのです。

```
<img src="photo/oyaji.png">
```

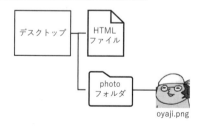

　「photo/oyaji.png」の部分を**ファイルパス**というのですが、

目的地までの行き順を書いた地図みたいなものと考えてください。「photo/oyaji.png」だったら、「HTMLファイルと同じ場所（ここではデスクトップ）からスタートして、そこのphotoフォルダの中の『oyaji.png』」を表しています。

　実際のファイルの場所に合わせてHTMLファイルのimgタグを直すと、またちゃんと画像が表示されます。

サンプルファイル名：c1index4.html

<h1> ひげおやじ物語 </h1>
<img src="photo/oyaji.png">　──■ ファイルパスを直す
<p> むかしむかしあるところに、<mark> 死んだ魚の目 </mark> をしてる <del> 性格の悪い </del> デブのおっさんがいました。そんなある日、<small> ニコニコ動画 </small> で生放送のライブストリーミングを配信していると、<strong> 家に覚えのない小包 </strong> が届きました。</p>

第1章　「ツリー思考」で整理する　　29

02 「ツリー構造」を理解する

● 箇条書きの書き方

コンピューターには、**入れ子構造**がよく使われます。何かの中に何かが入っていて、さらにその中にも何かが入っている構造です。

HTMLで入れ子構造を学ぶのに最適なのが**箇条書き**です。箇条書きはこのような感じに、**ulタグ**と**liタグ**を使います。

```
<ul>
<li> ひろゆきが好きな食べものを紹介 </li>
<li> ひろゆきが好きな映画を紹介 </li>
<li> ひろゆきが好きな本を紹介 </li>
<li> ひろゆきが好きなゲームを紹介 </li>
<li> ひろゆきが好きな虫を紹介 </li>
</ul>
```

ちなみに、ulタグの代わりに**olタグ**を使うと、「1.〇〇」「2.〇〇」のような番号付きの箇条書きになります。ulやolに

は、（複数の）liをまとめて「1セットの箇条書き」にする働き
と、行頭記号の種類を決める働きがあるのです。**liタグは、
それだけでは使われず、必ずulタグ、olタグとセットで使
われます。**

● **入れ子構造とは？**
　HTMLでは箇条書きの中にさらに箇条書きを入れ、入れ
子構造にすることができます。

```
<ul>
<li>
ひろゆきが好きな食べものを紹介
<ul>
<li> マンゴスチン </li>
<li> お寿司 </li>
<li> カレー </li>
</ul>
</li>
<li> ひろゆきが好きな映画を紹介 </li>
<li> ひろゆきが好きな本を紹介 </li>
<li> ひろゆきが好きなゲームを紹介 </li>
<li> ひろゆきが好きな虫を紹介 </li>
</ul>
```

　わかりやすくなるように、字下げしてみましょう。タグを
付けていない改行が理解できないのと同様、字下げしただけ
だと、コンピューターはそれを認識できません。ただし、プ
ログラムのコードを見る人間は、メリハリをつけないと頭に

入ってこないので、プログラムを書く際は以下のように字下げを多用します。

```
<ul>
  <li> ひろゆきが好きな食べものを紹介
    <ul>
      <li> マンゴスチン </li>
      <li> お寿司 </li>
      <li> カレー </li>
    </ul>
  </li>
  <li> ひろゆきが好きな映画を紹介 </li>
  <li> ひろゆきが好きな本を紹介 </li>
  <li> ひろゆきが好きなゲームを紹介 </li>
  <li> ひろゆきが好きな虫を紹介 </li>
</ul>
```

Webページをリロードすると、箇条書きの中に箇条書きが入っていますね。さらに入れ子にすることもできます。

```
<ul>
  <li> ひろゆきが好きな食べものを紹介
    <ul>
      <li> マンゴスチン
        <ul>
          <li> ただしナマに限る。冷凍ものは苦手。</li>
        </ul>
      </li>
      <li> お寿司
        <ul>
          <li> 貝 </li>
          <li> 光もの
            <ul>
              <li> さんま </li>
              <li> いわし </li>
            </ul>
          </li>
        </ul>
      </li>
      <li> カレー </li>
    </ul>
  </li>
  <li> ひろゆきが好きな映画を紹介 </li>
  <li> ひろゆきが好きな本を紹介 </li>
  <li> ひろゆきが好きなゲームを紹介 </li>
  <li> ひろゆきが好きな虫を紹介 </li>
</ul>
```

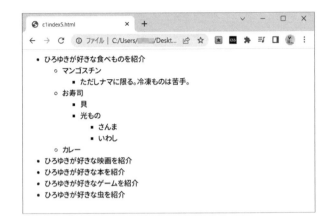

　箇条書きの階層はいくらでも深めることができます。上記では、お寿司をさらに貝、光ものと分け、さらに光ものを僕が好きなさんま、いわしに分けています。僕は脂が乗ったトロとかがあまり好きじゃなくて、安い光ものが好きだったりします。

● **身近に溢れるツリー構造**

　HTMLの箇条書きのような入れ子構造を図にして表すと、逆さにした木のようになります。そのため**ツリー構造**と呼びます。行と列で作られる**表形式**と並んで、データの記録／管理方式として使われています。

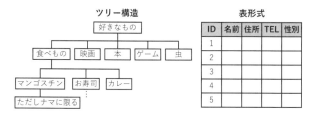

身近なものではパソコンのフォルダがあります。フォルダの中にフォルダが入り、さらにその中にもフォルダを入れる入れ子構造も、ツリー構造で表せます。

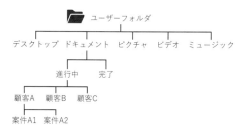

Webサイトの中もツリー構造で表せます。サイトマップといい、商品カテゴリなどで分類されていて、その中に個々のWebページが入ります。SBクリエイティブのWebサイトを見てみましょう。

SBクリエイティブのサイトマップ

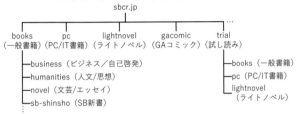

個々のWebページを見ると、見出しのレベルを基準にしたアウトラインというものがあり、これもツリー構造で表せます。オンライン百科事典のWikipedia（ウィキペディア）のような長文ページを見るとわかりやすいです。

Wikipediaのクレオパトラ7世の目次

クレオパトラ7世の説明をする際、「出自」「生涯」「人物」
「系譜」「登場作品」に分けられ、それぞれでさらに入れ子構
造にできます。「生涯」のところに「即位までのエジプトの状
況」「即位」「ローマ内戦」「カエサルとの出会い」等と分け
られています。「登場作品」も、「歴史書」「小説」「戯曲」「ミュー
ジカル」などに分かれています。

　人間社会でも住所や会社の組織図を表すときに、ツリー構
造を使います。コンピューターの世界だけでなく、身近でも
ツリー構造が多用されていることがわかると思います。

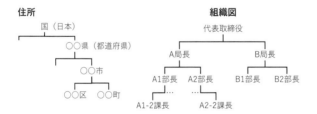

● ツリー構造は情報整理に向いている

　ツリー構造が多用されている理由は、情報整理に向いてい
るからでしょう。

　たとえば、ドメイン名は全世界で3億5千万ほどあり、そ

の中でjpドメインに所属するものは160万、co.jpに所属するものは40万です。このドメイン名、実はWebページを見るたびに使われているんですね。Webブラウザのアドレスバーに「https://www.yahoo.co.jp/」といったURLを入力すると、すぐにWebページが表示されますが、実はその間にドメイン名が表すサーバーコンピューターの場所を探して接続するという処理が毎回行われているのです。場所といっても正確にはIPアドレスという番号なのですが、ここではわかりやすくサーバーの設置場所と考えてください。

ドメイン名とサーバーコンピューターの場所の表

ドメイン名	場所	
www.yahoo.co.jp	東京都○○区××の○○ビル内○階に設置されたサーバーコンピューター	3億5千万件ある
www.apple.com	カリフォルニア州○○市××の○○ビル内○階に設置されたサーバーコンピューター	
www.whitehouse.gov	ワシントンD.C.○○市××の○○ビル内○階に設置されたサーバーコンピューター	

場所を探して……接続

世界のどこかにあるサーバーコンピューター

パソコン

　Webページが表示される一瞬の間に、3億5千万件の中から情報を探さないといけないのですが、ここでツリー構造が活躍します。たとえば、yahoo.co.jpというWebサイトを探す場合、ドメイン名のツリーをjp→coとたどるだけで、探す対象を3億5千万から40万まで絞り込むのです。計算すると、検索対象が約875分の1に減ったことになります。

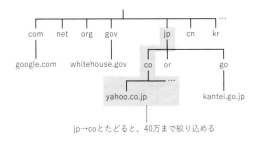

jp→coとたどると、40万まで絞り込める

　Wikipediaのサイトや出版社のSBクリエイティブのHPで
も、ツリー構造が使われていることに触れました。情報整理
に長けているから、多くのWebサイトで使われているので
す。**ツリー構造を利用すると、大量のデータの中から目的の
データを探しやすくなります。**

　たとえば、本書『プログラマーは世界をどう見ているのか』
の情報をSBクリエイティブのHPから探すのであれば、SB
クリエイティブ→一般書籍→SB新書→『プログラマーは世
界をどう見ているのか』とたどればいいのです。

● ツリー構造の発想で本棚を整理すると

　ツリー構造を日常で活かすとすると、やはり何かを探しや
すいよう整理する状況でしょう。たとえば、あなたの部屋に
たくさんの本があるとします。どのように本棚に並べれば、
整理され、探しやすくなるでしょうか?

　まず、フィクションとノンフィクションとを大まかに分け
て、前者の下に「SF」「ホラー」「ヒューマン」、後者の下に
「経済」「歴史」「エッセイ」「写真集」などのテーマで分類す

る方法が考えられます。その他には、大きい本、中くらいの本、小さい本と3段階に分け、その下にB4判、A4判、B5判、A5判、四六判、新書判、文庫判と本のサイズで分類することもありえます。また、「何度も読み返す」「たまに読む」といった読書頻度で分けても実用的で便利そうです。

　大分類の下で、さらに細かく分けていくと、自然にツリー構造になります。

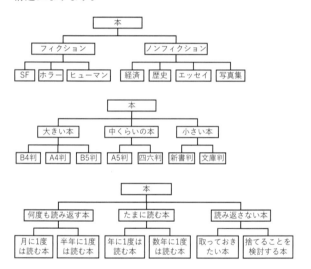

03 「ツリー思考」で俯瞰力を 身につける

● ツリー構造で分割しながら考える

Webサイトを作るには、中身、すなわちコンテンツが必要です。サイトの全体構成を、ツリー構造を使って考えてみましょう。

まず、Webサイトのテーマを考えます。ここでは仮に「釣り情報のWebサイト」としてみましょう。続いて、そこでどんな情報を提供するかを考えます。「釣り場」と「釣り用品」あたりが、みんなが知りたい情報ですよね。

さらにもう1階層掘り下げて考えてみましょう。「釣り場の情報」のほうは場所で分けてみましょうか。「釣り用品の情報」は、「ロッド・竿」「リール」「ルアー」というふうにギアの種類で分けるのが妥当でしょうか。少しずつWebサイトの姿が見えてきましたね。

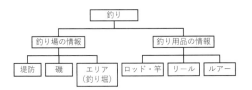

ツリー構造で分類する「ツリー思考」を手に入れると、こういったWebサイトも綺麗に作ることができます。

●「漏れ」と「ダブリ」を減らしてツリーを整理する

　ツリー構造は、「漏れ」と「ダブリ」を探すのにも有効です。
　先ほどのツリーで漏れを探してみましょう。「釣り場の情報」は「堤防」「磯」「エリア（釣り堀）」の3つだけでいいのでしょうか……。「渓流」や「河川」もあったほうがいいですよね。「釣り用品の情報」は、「ロッド」や「リール」といった道具分け以外で、「初心者向けセット」の情報があってもよさそうです。

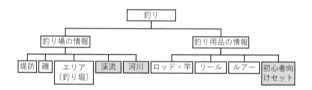

　「釣り用品の情報」で、「初心者向けセット」の情報があるなら、「釣り場の情報」に、「初心者向け釣り場」の情報が別で用意されていてもよさそうですね。これも追加しておきましょう。これがツリー構造を使って「漏れ」を見つける方法です。

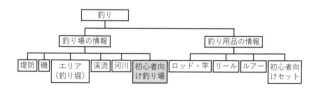

一通り「漏れ」を書き出したら、今度は「ダブり」がないか探してみましょう。「渓流釣り」は「河川釣り」の一種ですから、「ダブり」が発生しています。そこで「河川」の下に、川の上流で釣る「渓流（上流）」と川の中流・下流で釣る「川（中流・下流）」を分けてみました。

　さらに、「初心者向け釣り場」と「初心者向けセット」はそれひとつで大まかに初心者向け情報としてまとめられそうです。そこで新たに第2階層（ここでは「釣り場の情報」「釣り用品の情報」と横並びになる段のこと）に「釣り入門の情報」という項目を追加し、この2つをまとめてはどうでしょうか？　このほうが情報サイトとしては読みやすそうですね。これがツリー構造を使って「ダブり」を探す方法です。

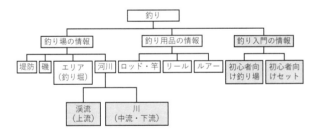

　HTMLで書くと、以下のようになります。「hiroyuki.png」の写真はP.187で紹介しているダウンロードサンプルの中に入っています。

```html
<h1> ひろゆきのニコニコ釣り情報 </h1>
<img src="hiroyuki.png">
<p> ひろゆきが教える釣り情報だよ </p>
<h2> 釣り場 </h2>
<ul>
   <li> 堤防 </li>
   <li> 磯 </li>
   <li> エリア（釣り堀） </li>
   <li> 河川
     <ol>
        <li> 渓流（上流） </li>
        <li> 川（中流・下流） </li>
     </ol>
   </li>
</ul>
<h2> 釣り用品 </h2>
<ul>
   <li> ロッド </li>
   <li> リール </li>
   <li> ルアー </li>
</ul>
<h2> 釣り入門 </h2>
<ul>
   <li> 初心者向け釣り場 </li>
   <li> 初心者向けセット </li>
</ul>
```

読みやすいWebサイトや使いやすいアプリなどを構築する際は、ツリー構造を知っているか否かで差がつくと思います。たとえば僕が創設した「2ちゃんねる」も、「地震」「おすすめ」「ニュース」といった具合に大まかにカテゴリ分けし、さらに「ニュース」は「ビジネスnews」「芸スポ速報」「ほのぼのnews」「痛いニュース」「科学ニュース」といった具合に細分化されていましたが、これは、ツリー構造です。

● ツリー構造を問題解決・原因追求に使う

　ここまでは、ツリー構造を要素の分解やまとめに使っていましたが、問題解決の思考法にも有効なので、紹介しておきます。

　まず、1つの例として、「利益を上げる」方法をツリー構造で考えてみましょう。利益を上げる方法は、売上を増やすか、支出を減らすかですね。なので、まず2つに分けます。

　次はそれぞれについて具体的な方法を考えていきます。売上を増やす方法は、「案件を増やす」か「単価を上げる」かでしょうか。さらに次の階層で具体的な方法を考えていきます。支出を減らす方法は「人件費を抑える」「家賃を下げる」「通信費を抑える」などが考えられます。人件費削減というと「リストラする」一択に思えますが、「一人当たりの給料を減らす」という選択肢もありますよね。「ワークシェアリング」という考えが、これに当てはまると思います。

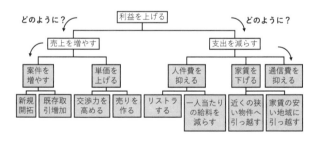

下に行くほど「どのように？」と、より具体的な策になっていることに気づけると思います。そうやって具体案を出し切ってから、今の状況をもとに検討し、「新規開拓」と「近くの狭い物件へ引っ越す」など取り組みやすかったり効率的だったりする方法を選べばいいのです。

　次に、別の例として、「試験に合格できない」理由をツリー構造で考えてみましょう。

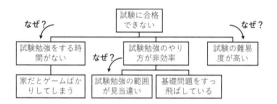

　今度は、下に行くほど「なぜ？」の答えが具体的になっていることに気づけると思います。こうやって考えると、「家ではなく図書館で勉強しよう」とか、「基礎問題で点数を稼ぐために薄くて簡単な問題集を2、3冊解いてみよう」といった解決策を導くことができたりします。

　このようにツリー構造を使いこなし、ツリー思考が身につけば、適切な分類ができるだけでなく、問題解決や原因追求などもスムーズにできるようになったりします。つまり、物事を俯瞰的に捉える目を持つことができるのです。

04 カッコいいサイトを作るには

● HTMLだけで作れる折りたたみ機能

さて話をHTMLに戻しましょう。HTMLの基礎を説明してきましたが、「ワープロソフトでもできそうなことばかりで面白くないな」と思った人もいるかもしれません。この章の最後で、HTMLだけでできる、ちょっとだけすごいことを紹介しましょう。

一番手は**detailsタグ**と**summaryタグ**です。2011年頃に現れた比較的新しいHTMLタグなんですが、説明の折りたたみができます。タイトルに当たる部分をsummaryタグで挟み、そのタイトルを含む説明全体をdetailsタグで挟みます。

サンプルファイル名：c1index7.html

```
<details>
<summary> ひげおやじ物語 </summary>
むかしむかしあるところに、死んだ魚の目をしてる性格の
悪いデブのおっさんがいました。そんなある日、ニコニコ
動画で生放送のライブストリーミングを配信していると、
家に覚えのない小包が届きました。
</details>
```

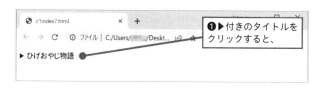

❶▶付きのタイトルを
クリックすると、

❷説明が表示される

　クリックに反応してくれることに、ちょっと感動しませんか？　ちなみに最初から開いた状態にしたいときは、「<details open>」と書きます。openの前は半角空きです。

　これ、昔は次章から紹介するJavaScriptのプログラムを書かないとできませんでした。それがHTMLだけでできるというのだから、時代は変わったと思います。

● HTMLだけでアドベンチャーゲームを作る

　次は簡単なアドベンチャーゲームを作ります。選択肢を選んで進めていくゲームです。HTMLのリンクを使えばできてしまいます。

　リンクとは、Webページ内のテキストや画像をクリックすると他のWebページに飛ぶ仕組みのことです。パソコンやスマートフォンでWebページを見たことがあれば、誰もが思い当たるのではないでしょうか？　選択肢から他のWebページにリンクを張るだけで、アドベンチャーゲーム

になるのです。

　リンクを張るには、**aタグ**を使います。リンクにする範囲をそれで挟み、「href=" "」のところに移動先のHTMLファイルの名前を書きます。

サンプルファイル名：c1index8a.html

```
<h1> ひげおやじ物語 </h1>
<img src="photo/oyaji.png">
<p> むかしむかしあるところに、死んだ魚の目をしてる性
格の悪いデブのおっさんがいました。そんなある日、ニコ
ニコ動画で生放送のライブストリーミングを配信している
と、<mark> ドアのチャイムが鳴り響きました </mark>。</
p>

<h2> どうする？ </h2>
<ul>
  <li><a href="c1index8b.html"> ドアを開ける </a></
li>
  <li><a href="c1index8c.html"> 居留守する </a></li>
</ul>
```

```
<h1> ゲームオーバー（謎の逮捕 END）</h1>
<p> なんか身に覚えのない罪で捕まってしまった……。</p>
```

```
<h1> ゲームオーバー（幻の海の幸 END）</h1>
<p>3 日後にドアを開けたら、ノブにひろゆきからのプレゼ
ント・海の幸が入ったコンビニ袋がぶら下げられていた。
しかしすでにくさっていた。</p>
```

3つのHTMLファイルは同じフォルダ階層に配置します。
ここでは全部のファイルがデスクトップ上にある状態です。

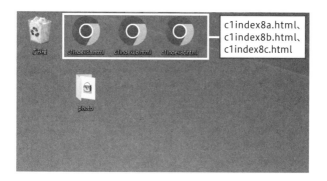

c1index8a.html、
c1index8b.html、
c1index8c.html

ファイルをWebブラウザで開いて遊んでみましょう。

　リンクはHTMLのカナメ、いちばん大事なところといえます。これを使えば、簡単なゲームみたいなものも作れます。

● 1本のWebページを作ってみよう

　最後のまとめとして、それなりの長さのあるWebページを作ってみましょう。Wikipediaのページのように目次も設け、**ページ内リンク**で目次から見出しへジャンプできるようにします。

全体イメージ

❶目次のリンクを
クリックすると

❷対応する見出し
にジャンプ

　先ほどのアドベンチャーゲームでは、HTMLファイル名
だけを書いたリンクを作りました。これは同じWebサイト
内のWebページにリンクを張る**サイト内リンク**です。

```
<a href="c1index8b.html">
```

　一方、ページ内リンクの場合も、aタグを使う点はまっ

たく同じなのですが、href=" " の中に＃付きで書くと、同じWebページ内の見出しなどへのリンク（ページ内リンク）に変わるのです。

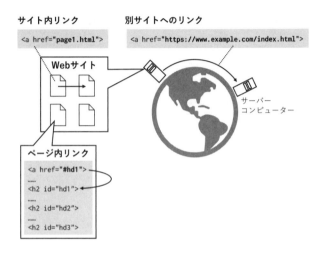

サイト内リンク
`<a href="page1.html">`

別サイトへのリンク
`<a href="https://www.example.com/index.html">`

Webサイト

サーバーコンピューター

ページ内リンク
`<a href="#hd1">`
`------`
`<h2 id="hd1">`
`------`
`<h2 id="hd2">`
`------`
`<h2 id="hd3">`

aタグのhref=" " の " " に書く部分は、「ドメイン名」「ディレクトリ名」「ファイル名」「ID名」を組み合わせたものです。途中は「/（スラッシュ）」や「＃（ハッシュ）」で区切ります。省略せずに全部書くと、「別サイトの特定のWebページの特定の場所」を示すことができ、**別サイトへのリンク**となります。

```
https://www.example.com/info/index.html#hd1
```

ドメイン名
（https://の部分は
通信方式を表す）

ディレクトリ名
（Webサイト内の
フォルダー名）

ファイル名

ページ内の場所
を表すID名

その一部を省略すると、「別サイトへのリンク」以外に、「サイト内リンク」「ページ内リンク」にもなります。日本の住所でも「東京都目黒区自由が丘1丁目」「青森県青森市自由ケ丘1丁目」「愛知県名古屋市千種区自由ケ丘1丁目」などと全部書く代わりに、一部を省略して「自由が丘」や「1丁目」だけにしても、「ああたぶん近所の自由が丘だろうな」「今いる町の1丁目だろうな」と予想できますよね。リンク先の指定も似たようなものです。

別サイトへの
リンク
```
https://www.example.com/
https://www.example.com/index.html
```

サイト内リンク
```
info/index.html
```
……… ドメイン名省略
```
index.html
```

ページ内リンク
```
#hd1
```
……… ドメイン名、ディレクトリ名、ファイル名省略

　それでは、ページ内リンクを使った目次付きのWebページを作ってみましょう。目次はolタグを使って番号付きの箇条書きにしました。
　ちょっと長いので、ダウンロードサンプル（P.187参照）からコピペしてもOKです。

サンプルファイル名：c1index9.html

```
<h1> ひげおやじ物語 </h1>
<img src="photo/oyaji.png">


<ol> ◀━━ 目次
```

```html
    <li><a href="#hd1"> 事件の発端 </a></li>
    <li><a href="#hd2"> 小包の中身 </a></li>
    <li><a href="#hd3"> 決闘 </a></li>
    <li><a href="#hd4"> ケットウ </a></li>
</ol>
```

— [A]

— [B]

— [C]

— [D]

[A] をクリックしたときの飛び先

```html
<h2 id="hd1"> 事件の発端 </h2>

<p> むかしむかしあるところに、死んだ魚の目をしてる性
格の悪いデブのおっさんがいました。そんなある日、ニコ
ニコ動画で生放送のライブストリーミングを配信している
と、家に覚えのない小包が届きました。</p>
```

[B] をクリックしたときの飛び先

```html
<h2 id="hd2"> 小包の中身 </h2>

<p> 小包を開けると、中に 1 通の手紙が入っていました。
</p>

<p>「万年、自宅警備員のひげおやじさんへ <br>
あなたに好意をよせる、綺麗な方をさらいました。<br>
返してほしければ、明日 13 時、ニコニコ公園で待ってい
ます。ケットウしましょう」</p>
```

[C] をクリックしたときの飛び先

```html
<h2 id="hd3"> 決闘 </h2>

<p> 翌日、ニコニコ公園に行きましたが誰もいませんでし
た。ベンチで眠りながらしばらく待つと、2 時間後にひろ
ゆきが現れました。</p>

<p>「ひげおやじさん、こんにちは。お寿司を奢ってくだ
さい」</p>
```

```
<h2 id="hd4"> ケットウ </h2>
<p> ひろゆきに無理やり連れてこられたお寿司屋さんは、
有名な高級店でした。ひろゆきは、高い値段のものばかり
を注文しました。ひげおやじさんは、ガリしか食べません
でした。</p>
<p> ひげおやじさんがカードで分割払いをしました。</p>
<p> 「おかげでケットウ値があがりました」と寒いギャグ
を告げ、ひろゆきは去りました。</p>
```

　目次内のaタグのhref=" "の中身が「#hd1」になっている
ことと、リンク先のh2タグが「id="hd1"」となっているのが
わかりますか？　id=" "の" "内に書くものを**ID名**といいま
す。ID名とはHTML内の部分に付ける名前で、同じWeb
ページ内で重複してはいけません。また、#を付けるのはa
タグのほうで、ID名自体には#を付けてはいけません。

❶リンクをクリックすると、

決闘

翌日、ニコニコ公園に行きましたが誰もいませんでした。ベンチで眠りながらしばらく待つと、2時間後にひろゆきが現れました。

「ひげおやじさん、こんにちは。お寿司を奢ってください」

ケットウ

ひろゆきに無理やり連れてこられたお寿司屋さんは、有名な高級店でした。ひろゆきは、高い値段のものばかりを注文しました。ひげおやじさんは、ガリしか食べませんでした。

ひげおやじさんがカードで分割払いをしました。

「おかげでケットウ値があがりました」と寒いギャグを告げ、ひろゆきは去りました。

内 ❷対応する見出しにジャンプ！

インターネットに公開できるHTMLファイル

　本書ではとにかく手を動かしつつ、プログラミングがどんなものかを体感してもらうことを優先しています。そのために省略してきたのですが、本来HTMLファイルは「頭」と「体」が必要です。それがなくてもパソコンの中で確認する分には問題ないのですが、インターネットに公開すると「文字化け」が発生するなどいろいろなトラブルが発生します。なので、HTMLファイルをインターネットに公開するときは、ちゃんと「頭」と「体」を付けなければいけません。

　HTMLの「頭」は**head タグ**というもので、その中にWebページの補足情報を書きます。たとえば、HTMLファイルの「文字コード」（以下では<meta charset="UTF-8">のこと）とか、Webページのタブに表示される「ページタイトル」（以下では<title>ひろゆきサイト</title>のこと）などを書きます。HTMLの「体」は**body タグ**というもので、実際にWebページに表示する内容を書きます。そして、head タグとbody タグは**html タグ**の中に書く決まりです。まとめると、次のようになります。

サンプルファイル名：c1index10.html

```html
<!DOCTYPE html>      ── HTMLのバージョン
<html lang="ja">     ──┐
                     html タグと言語の指定。ja は日本語のこと

  <head>
    <meta charset="UTF-8">
    <title> ひろゆきサイト </title>
  </head>
  <body>          ── ここからページの内容
    <h1> ひろゆきが好きな食べものを紹介 </h1>
    <h2> マンゴスチン </h2>
    <p> ただしナマに限る。冷凍ものは苦手。</p>
  </body>
</html>           ── html タグはここまで
```

第2章

物事を「最小単位」に分解して並べる

01 動きのあるサイトを作れる プログラミング

● HTMLにできなくてJavaScriptにできること

ここからはHTMLに代わって、**JavaScript**の話をしていきます。JavaScriptは、**Webブラウザの中で動くプログラミング言語**です。第1章で説明したHTMLと何が違うのかを体感してもらうために、メモ帳で次のように入力して、「適当なファイル名.html」で保存してみてください。

```
<h1> ひろゆき語録 </h1>
<script>
  document.write(" それってあなたの感想ですよね ");
</script>
```

document.write(" ")はすべて半角で書きます。ファイルをWebブラウザで開くとこうなります。

これだとHTMLファイルに「それってあなたの感想ですよね」と書くのと変わりないですね。では、「"～ですよね"」

のあとに「.repeat(3)」と書き足してください。書き足す位置
に注意しましょう。

サンプルファイル名：c2index1.html

```
<h1> ひろゆき語録 </h1>
<script>
  document.write(" それってあなたの感想ですよね ".
repeat(3));
</script>
```

　今度は「それってあなたの感想ですよね」が3回表示され
ました。さらに「.repeat(30)」に変えてみましょう。

```
<h1> ひろゆき語録 </h1>
<script>
  document.write(" それってあなたの感想ですよね ".
repeat(30));
</script>
```

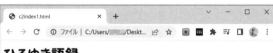

　ある程度予想がついたと思いますが、「それってあなたの感想ですよね」が30回表示されます。

　これがJavaScriptのチカラです。HTMLだけでいろいろできるといっても、基本はテキストにタグを付けたものなので、テキストを30回表示したかったら30回書くしかありません。それに対して、JavaScriptの場合は「30回表示しろ」という命令ができるんですね。このあと、読み進めることで、JavaScriptでできることは、HTMLだけでできることと次元が違うことがわかってくると思います。

●「ドキュメントに書け」と命令する

　JavaScriptの基本形は、操作対象と命令を「.（ドット）」でつなぎ、命令のあとのカッコ内に表示したい内容や数を書くというものです。

操作する対象 . 命令 (表示する内容や数)

　これを踏まえて、P.62のHTMLファイルを見てみましょう。<script>と</script>の間に書いたものがJavaScriptのプログラムです。

```
document.write("それって（略）ですよね");
```
ドキュメント　　書け　　　　　　　　　　　　　　　　　文末の印

　document.write() は「ドキュメント（文書）に書け」という意味だと見当が付きますね。ここでいうドキュメントとはHTML文書のことですから、「HTML文書に書け」、つまり「Webページに何かを表示しろ」という意味です。表示する内容は、カッコの中に書いた「"それってあなたの感想ですよね"」です。「"（ダブルクォート）」で囲んだ部分を**文字列**といいます。

　あとから付け足した「.repeat(3)」と「.repeat(30)」の部分は、詳しく説明するとちょっとややこしいので、本書では説明を割愛します。JavaScriptのすごいところを見せたかっただけです。今は「document.write()」と「文字列」だけ覚えてくれればOKです。

● いきなり動かなかったという人へ

　実際にJavaScriptを入力してみたら、動かなかったという人もいるのではないでしょうか？　第1章でも説明しましたが、コンピューターは融通が利かないので、少しでも間違っ

ていると動かないのです。

　ありがちなのが、命令やドットやカッコなどの記号を全角で入力しているパターン。**命令や記号は半角英数モードで入力しないといけません。**

```
<h1> ひろゆき語録 </h1>
<script>
  ｄｏｃｕｍｅｎｔ．ｗｒｉｔｅ（" それってあなたの感
想ですよね ".ｒｅｐｅａｔ（30））;  ←全角なのでNG
</script>
```

　記号を間違えているパターンもよくあります。「.(ドット)」と「,(カンマ)」、「;(セミコロン)」と「:(コロン)」は間違えやすいですね。

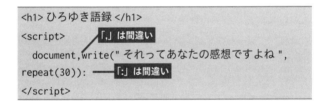

```
<h1> ひろゆき語録 </h1>
<script>  「,」は間違い
  document,write(" それってあなたの感想ですよね ",
repeat(30)):  ←「:」は間違い
</script>
```

　どちらの場合もHTMLの部分（<h1> ひろゆき語録 </h1>）だけ表示され、JavaScriptで表示する部分は表示されません。エラーで停止してしまっているからです。

また、ちょっと気づきにくいのが、「.repeat(30)」を書く場所を間違えているパターン。「.repeat(30)」はdocument.write()のカッコの中に書かないといけません。

```
<h1> ひろゆき語録 </h1>
<script>
  document.write(" それってあなたの感想ですよね ").
repeat(30);
</script>
```

この場合は「document.write("それってあなたの感想ですよね")」を表示するところまでは動くので、1回だけ表示されます。

こういうエラーはとにかく気づきにくくて、つい「どこも間違ってない……。本が間違っているんじゃないの？」と

思ってしまいがちです（実際、誤植の場合も時々あります
が）。慣れてくると間違えにくくなるので、あまり気にせず
読み進めてください。

エラーメッセージが英語なので理解するのは難しいんですが、よく見るとエラーが出ているファイルや行番号を教えてくれています。たとえば、「at c2index1.html:3:35」と表示されていたら、c2index1.htmlというファイルの3行目の35文字目にエラーの原因があります。場所が少しずれていることもありますが、近くにあるはずです。

02 一度箱の中に入れてから取り出して使うという考え方

● 数学の「=」とプログラミングの「=」の違い

先ほどのプログラムは1つの文でした。1つの文でもテキストを30回表示するぐらいはできるのですが、複数の文でできたプログラムなら、もっと複雑なことができるようになります。

そこで、複数文のプログラムの書き方を説明しましょう。**JavaScriptでは「;（セミコロン）」が文の終わりを表す**ので、以下は3つの文のプログラムです。

```
<h1> ひろゆき語録 </h1>
<script>
  var goroku1;
  goroku1 = " それってあなたの感想ですよね ";
  document.write(goroku1);
</script>
```

結果は第2章の冒頭で見せたものと同じですが、まず

goroku1という名前の**変数**という箱のようなものを作り、そこに「それってあなたの感想ですよね」という文字列を入れました。3つ目の文でdocument.write()を使ってgoroku1の中身を表示しています。

　最初の文の「var（バー）」は「変数を作れ」という命令です。ここでは「goroku1という変数を作れ」となります。その次の文にある、変数名のあとの「=（イコール）」は「=の右にあるものを=の左に入れろ」という意味です。**数学で「＝」を使うときの「等しい」という意味ではない**ので、注意してください。これで変数goroku1という箱の中に「それってあなたの感想ですよね」が入ったので、document.write()でgoroku1を表示しろと命令をすると、goroku1の中身である「それってあなたの感想ですよね」が表示されます。

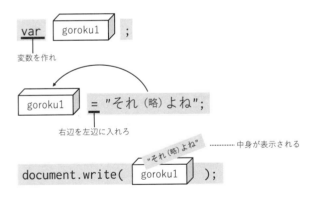

　変数という**一時的にデータを記憶するもの**を使うことで、複数の文を連携させることができるのです。

変数名の付け方

変数の名前はプログラムを書く人が自分で決めることができます。先ほどの例は「goroku1」としましたが、「goroku」でも「goroku2」でも「word」でもかまいません。使える文字は、アルファベット、アンダースコア (_)、数字の組み合わせです。ただし変数名の先頭を数字にすることはできません。また、「if」や「for」などの、プログラムの命令と同じ名前も使えません (ifとforは第3章以降で登場します)。

● **プログラムは上から順に実行される**

「変数を作れ」という命令文と、「その作った変数に右辺のものを入れろ」という命令文は、一文にまとめて書くこともできます。そこで、今度は「var goroku1;」と「goroku1 = "それってあなたの感想ですよね";」を「var goroku1 = "それってあなたの感想ですよね";」と一文にまとめたうえで、もう1つ文を増やしてみました。goroku1 に「嘘つくのやめてもらっていいですか」を入れます。さて、どうなるでしょうか？

```
<h1> ひろゆき語録 </h1>
<script>
  var goroku1 = " それってあなたの感想ですよね ";
  goroku1 = " 嘘つくのやめてもらっていいですか ";
  document.write(goroku1);
</script>
```

　あとから変数の箱に入れた「嘘つくのやめてもらっていい
ですか」だけが表示され、「それってあなたの感想ですよね」
は表示されなくなりました。つまり、変数gorokulの中身が
上書きされたのです。**プログラムは原則的に上から順番に実
行される**ので、変数gorokulに最後に入れたものが表示され
ます。

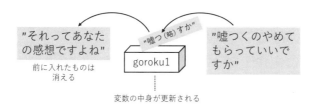

"それってあなた
の感想ですよね"
前に入れたものは
消える

"嘘つ（略）すか"

gorokul

"嘘つくのやめて
もらっていい
ですか"

変数の中身が更新される

　2つの文とも表示させたい場合は、次のようにdocument.
write()の文を増やします。これだと、「変数に入れろ」「その
時点の変数を表示しろ」「変数に入れろ」「その時点の変数を
表示しろ」の4文になるので、両方とも表示されるわけです。
プログラムが上から順に実行される様子がイメージできまし
たか？

```
<h1> ひろゆき語録 </h1>
<script>
  var goroku1 = " それってあなたの感想ですよね ";
  document.write(goroku1);
  goroku1 = " 嘘つくのやめてもらっていいですか ";
  document.write(goroku1);
</script>
```

● 前後にタグを追加する

　ところで2つのテキストを表示したのに、つながって1行になっていますね。第1章でコンピューターは人と違って融通を利かすことができないこと、そもそも日本語を理解しているわけではないことを学びました。1行で表示されているのは、コンピューターが理解できるHTMLのタグがないからです。

　2行に分けて表示させたいときは、第1章のP.23で学んだpタグを使います。変数に入れる文字列を「"\<p\>それってあなたの感想ですよね\</p\>"」にして「var goroku1 ="\<p\>それってあなたの感想ですよね\</p\>"」としてもいいんですが、ここは少し違うやり方をしてみましょう。document.write()の中に「"\<p\>" +」と「+ "\</p\>"」を追加します。

```
<h1> ひろゆき語録 </h1>
<script>
  var goroku1 = " それってあなたの感想ですよね ";
  document.write("<p>" + goroku1 + "</p>");
  goroku1 = " 嘘つくのやめてもらっていいですか ";
  document.write("<p>" + goroku1 + "</p>");
</script>
```

変数の前後にある**「＋（プラス）」記号**は、文字列を連結する命令です。半角で書きます。`<p>`と変数の中に入っている文字列と`</p>`が連結されて、タグ付きの「`<p>`それってあなたの感想ですよね`</p>`」「`<p>`嘘つくのやめてもらっていいですか`</p>`」になり、2行に分かれて表示されます。

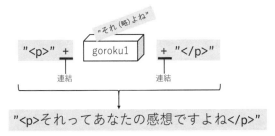

「＋記号は足し算ではないの？」と思った方は、それも正解です。**JavaScriptの＋記号は文字列を連結する働きと、足し算の働きの2つを持っている**のですが、それを理解するために、次は、足し算や掛け算などの計算をやってみましょう。

03 プログラミングでは「1＋1＝2」じゃないこともある

● 計算記号を使う

JavaScriptでは計算記号を使った「式」を書いて計算することができます。

まずは足し算です。すでに説明した「＋」記号を使います。記号の左右どちらかが文字列であると文字の連結になりますが、両方とも数値の場合は足し算します。

```
<script>
  var num;
  num = 1 + 2;
  document.write("<p>" + num + "</p>");
</script>
```

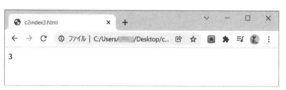

しかし、次のように1と2を「"（ダブルクォート）」で囲むと、この1と2は数値ではなく文字列として扱われます。

```
<script>
  var num;
  num = "1" + "2";
  document.write("<p>" + num + "</p>");
</script>
```

```
c2index3.html        ×    +                    ∨  –  □  ×
←  →  C  ① ファイル | C:/Users/■■■■/Desktop...  🔄  ☆  🔲  🔣  ≡  🐱  ⋮

12
```

　「1」という文字列に「2」という文字列をつなげたため、「12」と表示されました。この場合の＋は連結の働きをしています。要は数値の「1」と文字列の「"1"」は違うデータということです。

　次は引き算。「－（マイナス）」記号を使います。こちらも半角です。＋と違って、－には文字列を連結したり、引き剥がしたりする働きを持っていません。数値計算の引き算のみの役割です。

```
<script>
  var num;
  num = 1 + 2;
  document.write("<p>" + num + "</p>");
  num = 10 - 4;
  document.write("<p>" + num + "</p>");
</script>
```

3

6

　続いて掛け算と割り算です。半角英数記号には×と÷がないため、代わりに「*（アスタリスク）」と「/（スラッシュ）」を使います。これらももちろん半角です。

サンプルファイル名：c2index4.html

```
<script>
  var num;
  num = 1 + 2;
  document.write("<p>" + num + "</p>");
  num = 10 - 4;
  document.write("<p>" + num + "</p>");
  num = 4 * 8;
  document.write("<p>" + num + "</p>");
  num = 15 / 2;
  document.write("<p>" + num + "</p>");
</script>
```

```
3
6
32
7.5
```

● 桁の大きな計算も一瞬でできる

数値の桁を大きくしてもコンピューターは平気なのでしょうか？　少し多めの桁で試してみましょう。

```
<script>
  var num;
  num = 34865124 + 9871523;
  document.write("<p>" + num + "</p>");
</script>
```

```
44736647
```

Webブラウザで表示するとすぐに答えが出ます。合っているかどうかは電卓で確かめてもいいですが、ここでは別のことを覚えるために、同じ数を再度引いてみることにします。同じ数を引いた結果が元の数値になれば、正しいことが

検算できます。

var num; から3行目の document.write() のところで、変数 num には足し算の結果が入っています。そこから引き算して、5行目の document.write() で結果を出力してみました。

サンプルファイル名：c2index5.html

```
<script>
  var num;
  num = 34865124 + 9871523;
  document.write("<p>" + num + "</p>");
  num = num - 34865124;
  document.write("<p>" + num + "</p>");
</script>
```

34865124 + 9871523 を足した結果から、34865124 を引くと……

結果を見ると正しいみたいですね。4行目で「num = num - 34865124;」という計算をしていますが、ここで違和感を持つ人が結構います。「=」は右辺を左辺に入れろという命令なので、まずその時点の変数 num（中身は44736647という数値）に対して引き算してから、その結果が左辺の変数 num に上書きされて入ることになります。

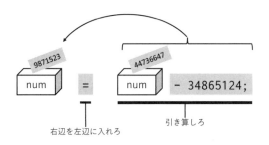

右辺を左辺に入れろ　　　　　　引き算しろ

　JavaScriptでは、「=」は「等しい」ではなく、「右辺を左辺に入れろ」でした。おさらいですが、勘違いしないよう注意してください。今回は加減算をしましたが、大きな桁の掛け算や割り算でも正しい答えを一瞬で導くことができます。

---

column

コンピューターはどれだけ桁が多い計算でも平気か?

　それでは、コンピューターはどんなに桁が大きい計算でも平気なんでしょうか?　平気ではありません。コンピューターで扱える数値には「有効桁数」というものがあります。**JavaScriptの有効桁数は約17桁なので、その付近だと簡単な計算でも答えが怪しげなものになってきます。**スーパーコンピューターぐらいになれば話は違うと思いますが、パソコンでは17桁未満の計算程度にとどめておけってことです。

サンプルファイル名:c2index6.html

```
<script>
  var num;
  num = 999999 * 1;     6桁
```

82

```
    document.write("<p>" + num + "</p>");
    num = 999999999999 * 1;          12桁
    document.write("<p>" + num + "</p>");
    num = 99999999999999999 * 1;     17桁
    document.write("<p>" + num + "</p>");
</script>
```

999999

999999999999

100000000000000000 ●────── 17桁の数値に1を
掛けると、わずか
に大きくなった

04 相手に合わせて指示を「最小単位」に分ける

● 指示の細分化・具体化を身につける

これまでのプログラムを見ると、「ドキュメントに書け」「変数を作れ」「右辺を左辺に入れろ」といった指示（命令）が並んでいますね。そう、プログラムというのは**コンピューターへの指示書**なんです。そういう点では、人間に指示を出すのと似たところがあります。注意が必要なのは、「人間に通じる指示」と「コンピューターに通じる指示」が結構違うという点です。

人間は間違った指示をしても忖度（そんたく）をして正しい対応をしてくれることはありますが、正しい指示を出したとしても間違った対応をしてしまうことがあります。一方、プログラミングでコンピューターに指示を出す場合は、間違った指示をしたら忖度などしてくれませんが、正しい指示を出せば、その通りの対応をしてくれます。

とはいえ人間だって、相手の能力によって指示が通じるかどうかは結構違います。まずは人間の例で考えてみましょう。次の指示書を見てください。

売れる商品の企画書を書け

このようなざっくりした指示は、ベテランの主任クラスの人材に対してなら適切かもしれません。推測や忖度をしたうえで、実行できるからです。しかし、新人社員であったなら

ば、期待した結果を出すのは厳しそうです。

　そこで、このざっくりとした指示を、新入社員でもできそうなものに変えてみましょう。具体的に何をするのか。**指示を相手に合わせた「最小単位」に分けていくのです。**

　売れている商品をピックアップしろ
→ 売れている商品の特徴をまとめろ
→ それを元に売れそうな商品を考えろ
→ それが自社で実現可能か検討しろ
→ 企画書にまとめろ

　このように作業単位で分けてしまえば、入社1、2年目の社員でも対応できますね。

　ただし、コンピューターへの指示とすると、これでも無理でしょう。コンピューターは「売れている商品」のような曖昧な表現は理解できないからです。そこで、**売れている商品を表す指標**が必要になります。「売れている」ではなく「売上が1億円以上」といった具体的な数値に直してみましょう。

　また、「特徴をまとめろ」「考えろ」「検討しろ」などの意味もコンピューターは理解できないので、「特徴の最大値を求めろ」といった**計算処理に落とし込む**必要があります。コンピューターでできそうなものにしたのが次の指示書です。

　売上高が1億円以上の商品をピックアップしろ
→ それらの商品の特徴を表す数値データ（市場調査の結果や成分量など）を集めろ
→ 特徴を表す数値データの最大値をまとめて出力しろ

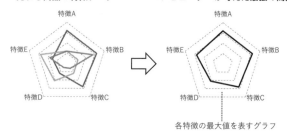

売れる商品の特徴データ　　　**コンピューターが考えた最強の商品**

特徴A　　　　　　　　　　特徴A

特徴E　　　　特徴B　　　特徴E　　　　特徴B

特徴D　　　特徴C　　　特徴D　　　特徴C

各特徴の最大値を表すグラフ

　プログラムでコンピューターに指示を出せばこのようなことができます。ここまでできれば、あとは人間が考慮して、企画書にまとめていくというやり方が、コスパのいいやり方といえるでしょう。

　このような具体的な指示は、人に対しても有効です。「売れている商品をピックアップしろ」といっても、売れているの判断は人によってまちまちです。しかし、「大手量販店A社で売上高1億円以上の商品をピックアップしろ」という指示であれば、どの人間がデータを集めても、間違いさえしなければ、同じ結果が出てくるはずです。以上のように、プログラムを書くようになると、「指示を細分化する」「指示を具体化する」という思考法を手に入れることができます。この考え方は、人間にも適用できます。

---

column

コンピューターに対する指示の最小単位は？

　新人への指示ならイメージできますが、コンピューターへの指示の最小単位といわれてもイメージできない人も多いと思います。コンピューターへの指示の最小単位は、簡

単にいうと**そのプログラミング言語が持っている「命令」**です。

　たとえばロボットにプログラムで「ジャンケンのチョキを出す」という指示をするとします。そのプログラミング言語が「チョキを出せ」という命令を持っていれば、プログラムに「チョキを出せ」と書くだけで済みます。ところが「チョキを出せ」という命令がない場合は、処理をさらに細分化して「親指を曲げろ」「人差し指を伸ばせ」「中指を伸ばせ」「薬指を曲げろ」「小指を曲げろ」という命令を実行しなければいけません。つまり、プログラミング言語がどんな命令を持っているかで、最小単位が変わってくるのです。

　プログラミング言語がどんな命令を持っているかは、言い替えるとプログラミング言語が何を得意・不得意とするかです。JavaScriptの場合は、Webページを動かすために必要な命令が最初からそろっていて、それだけでプログラムを簡単に書けます。そのため、「JavaScriptはWebページを動かすのが得意」といわれるのです。

05 順番を変えるだけで、こんなに時短できる！

● 順番を変えるだけで効率化できる

　ここまで説明してきたような、上から順に1つずつこなしていく処理の流れのことを「**順次処理**」といいます。プログラムの処理の流れには「順次」「分岐」「反復」の3つがあって、それらを組み合わせて目的のプログラムを作ります（分岐と反復は次章以降で説明します）。順次は上から並べるだけだから、「簡単だろう」「覚える必要もないだろう」と思われがちですが、そうでもありません。処理の並べ方によっては、全体の効率が大きく変わります。

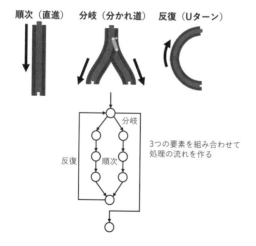

順次（直進）　分岐（分かれ道）　反復（Uターン）

分岐

反復　順次

3つの要素を組み合わせて
処理の流れを作る

　順番の大切さを知るために、現実の例で考えてみましょ

う。デリバリーサービスをご存じですか？　自転車で料理を
届けるサービスです。たとえば、次の図に示すように、碁盤
の目状の町があったとして、店AとBとCからそれぞれ家a
とbとcに料理を届けるとしましょう。

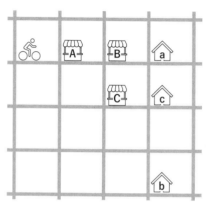

店Aから家aへ、
店Bから家bへ、
店Cから家cへ、
配達する

　何も考えずに店Aから料理を受け取り、家aへ届けてか
ら、店Bに向かい、家bへ……と順番通りに受け取り届けて
いたら、結構時間がかかってしまうことは予想できます。1
つのブロックを自転車で移動するのに1分かかると仮定する
と、15分程度かかる計算になりました（ここでは料理の受け
渡しにかかる時間は考えないことにします）。

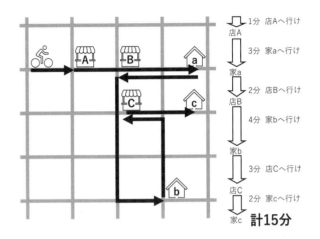

このルートの順番を変えてみましょう。先に3つの店から料理を受け取り、そのあと、家b、家c、家aの順に届けると、時間が10分程度まで短縮される計算になります。

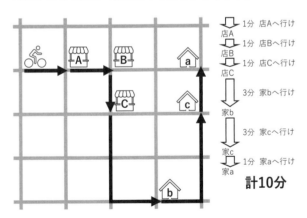

順番を変えただけで、こんなに時短できるんです。

●「ダブリ」を探してまとめよう

　順番を並べ替えることに加えて、同じ作業をまとめれば、さらに時短することができます。シチューを作る例で考えてみましょう。タマネギ、ニンジン、ジャガイモなどを洗って皮をむいて切り、肉と一緒に煮て、最後にシチューのルーを入れて煮ます。単純に手順を並べてみると、料理にしては楽なほうとはいえ15工程になりました。

シチューを作る

冷蔵庫を開ける
タマネギ、ニンジン、ジャガイモを出す
タマネギを洗う
タマネギの皮をむく
タマネギを切る
ニンジンを洗う
ニンジンの皮をむく
ニンジンを切る
ジャガイモを洗う
ジャガイモの皮をむく
ジャガイモを切る
冷蔵庫を開ける
肉を出す
材料を20分煮る
シチューのルーを入れて5分煮る

15工程

　この工程を眺めてみると、「冷蔵庫を開ける」「○○を洗う」「○○の皮をむく」「○○を切る」という作業が繰り返し出現していますね。その部分に色を付けてピックアップしてみます。

シチューを作る

冷蔵庫を開ける
タマネギ、ニンジン、ジャガイモを出す
タマネギを洗う
タマネギの皮をむく
タマネギを切る
ニンジンを洗う
ニンジンの皮をむく
ニンジンを切る
ジャガイモを洗う
ジャガイモの皮をむく
ジャガイモを切る
冷蔵庫を開ける
肉を出す
材料を20分煮る
シチューのルーを入れて5分煮る

　作業順を並べ替え、「冷蔵庫を開ける」「出す」「洗う」「皮をむく」「切る」という**ダブっている（重複している）作業を1つにまとめてみましょう**。すると、15工程から7工程まで減らせます。

シチューを作る

冷蔵庫を開ける
タマネギ、ニンジン、ジャガイモ、肉を出す
タマネギ、ニンジン、ジャガイモを一緒に洗う
タマネギ、ニンジン、ジャガイモの皮をむく
タマネギ、ニンジン、ジャガイモを切る
材料を20分煮る
シチューのルーを入れて5分煮る

……作業をまとめて
　工程を減らす

7工程

「洗う」「皮をむく」「切る」はやること自体は変わりませんが、実際に料理をしたことがある人なら、まとめてやったほうが効率が上がることはご存じですよね。シンクで野菜を一緒に洗ったほうが早いですし、野菜の皮をむく、切るのもまとめてやれば、包丁を何度も握ったり置いたりせずに済みます。このように、ダブりをまとめただけで、効率は上がるのです。

● 最速化するには「ボトルネック」を見つけ出そう

　作業時間を左右するものに、**「ボトルネック」**という概念があります。ボトルネックとは、他の作業時間をいくら短縮しても、全体の作業時間を一定以上短くできなくしてしまう要因を指します。

　たとえば、夕食にお味噌汁とハンバーグ、野菜炒めを作るとして、コンロが1つしかなかったら同時に3つを調理することはできません。この場合、コンロの数がボトルネックといえます。また、食堂を例にすると、調理人がどんなに早く料理を作っても、配膳係が1人しかいなければ、お客に届けるのが遅れてしまうことがあります。この場合は、配膳係がボトルネックです。会社組織では、上司の決裁が遅くて全体の作業が進められないことがあります。この場合は上司の決裁がボトルネックになっているのです。

夕食の例

コンロの数が
ボトルネック

食堂の例

料理

客

配膳係が
ボトルネック

　コンピューターの世界でよくボトルネックとして取り上げられるのは、ネットワークの通信速度です。コンピューターの性能をどれだけ上げても、その間の通信速度が遅かったらそれ以上高速化できません。オンラインゲームを想像してもらうとイメージしやすいでしょうか。超高性能なゲームパソコンを用意しても、回線が遅かったら快適に遊べません。

　作業効率を上げるには、まず**ボトルネック部分を改善する**ことが考えられます。先ほどのケースだと、「コンロを増やす」「配膳係を増やす」「高速回線を用意する」といった解決策です。

　また、**ボトルネック以外の部分を工夫して解消する**ことも考えられます。「ハンバーグを肉団子にしてお味噌汁に入れて野菜もそこに入れて調理する（鍋3つを鍋1つにする）」「食堂をセルフサービスにする」「通信するデータ量を可能な限り減らすよう工夫する」といったものです。

　いずれにしても、解消の第一歩となるのは「どこがボトルネックなのか」を探すことです。どうも効率が悪いなと思ったら、まず少し離れたところから作業を観察し、すべての手順とかかっている時間をピックアップして、ボトルネックを探してみましょう。

　プログラミングの世界では、「ネットワーク通信」「巨大な

データの保存／読み込み」「アクセスの集中による負荷」「動画加工や3Dグラフィックス表示などの非常に重たい計算処理」などがボトルネックとなり、それを少しでも軽減するために多くのプログラマーが日々頭をひねっています。

column

プログラマーとは「問題を解決する人」

　ここでは「順番を変える」「重複する作業をまとめる」「ボトルネックを解消する」といった効率アップの手法について解説してきました。実はプログラマーとは、効率アップ**を含む何らかの問題の解決方法を考える仕事**なのです。

　"ひろゆき"="論破が得意な人"と思っている人も多いようなのですが、僕が得意なものも、問題解決なんです。YouTubeチャンネルを一度でも見てくれたらわかってもらえると思いますが、投げかけられてくる質問に、わりかし時間をかけずに、自分が考えられる解決策を提案しています。

　順番の例のところで説明した「効率的な出前ルートを探せ」というのも、プログラマーが解決すべき問題の1つです。ルート検索というのは、コンピューターが簡単に解けない問題の1つとされています。「配達員が実現できないようなルートにしない」「料理が冷めない時間で届ける」「料理を持たずに家に行かない」といった制約の中で、なるべく早く答えを出さないといけないので、このプログラムを組むのは、なかなか大変であろうことは想像できます。

　ちなみに、プログラムを書くことと、問題解決の流れを考えることは、実はちょっと違うスキルです。人によっては、まずフローチャート（流れ図）や箇条書きで問題解決の流れを頭の中に浮かべ、それをもとにプログラムを書き起こすこともあります。また、仕事のプログラム開発では、

流れの設計図や仕様書を書く人と、プログラムを書く人が分かれていることもあります（特に日本のIT企業では、その体制が多いようです）。

問題解決の流れのフローチャートを思い浮かべる

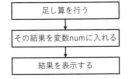

プログラムを書き起こす

```
var num;
num = 34865124 + 9871523;
document.write("<p>" + num + "</p>");
```

　問題解決の流れからプログラムを起こす作業は、慣れてくれば機械的にできるようになるので、**問題解決の方法や順序を考えることがプログラマーの本業**といえます。
　熟練したプログラマーになると、「この問題はどうしたらいいかな？」と話題を振るだけで、解決する方向性を即答できたりします。

第 **3** 章

最強の能力は
「if」思考で身につける

01 「条件」と「確率」を思い通りに操る

●「分岐処理」で作れるサイコロを振るプログラム

第2章で、プログラムの処理の流れには「順次」「分岐」「反復」の3つがあるというお話をしました。第3章では**「分岐処理」**について説明します。おそらく、皆さんがなんとなくイメージする「プログラムの働き」を、この章では学べると思います。

分岐は名前の通り、プログラムの流れを2つ以上に分けます。どうもイメージできないという人は、レールを組み合わせて線路を作るオモチャを想像してみてください。二股に分かれるレールが分岐です。その上を電車が通るときに、右か左に道が切り替わります。そんなイメージです。

分岐（分かれ道）

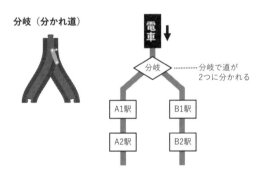

ここでは分岐処理を実感してもらうために、くじ引きプログラムを作ってみましょう。なぜくじ引きかというと、「当たり」と「外れ」の2つに分岐するからです。どちらが出るか

わからないようにしたいため、**Math.random（マス・ラン ダム）**という命令を使って、0〜1未満のデタラメな数を作り ます。0〜1未満というのは、最小値は0で、最大値はギリギ リ1にならない0.99999999……（略）になります。0〜0.9999 ……の間のランダム（無作為）な数値が返ってくるプログラ ムです。

このランダムな数値に対して、いくつかの命令を組み合わ せて、1〜6の数値が出るようにします。つまりサイコロを 振った結果を表示するプログラムです。まずは、サイコロの 目をそのまま表示してみましょう。

```
<script>
var num;
num = Math.floor(Math.random() * 6) + 1;
document.write(num);
</script>
```

Math.random()という命令は、0から1未満の数値を返しま す。1未満というのは0.99999……なので、これに6を掛ける と、0から5.9999999……の数値になります。たとえばMath. random()が出したデタラメな数値が0.51283……だとすると、 それに6を掛けたら3.0769……となります。

Math.random() * 6 ——— **0 から 6 未満の数値が出る**

Math.floor（マス・フロア）は小数点以下を切り捨てて 整数にする命令です。それを Math.random() * 6の計算で出

た数値に適用するので、結果は0～5になります。たとえば3.0769……をMath.floor()で切り捨てた結果は3です。ちなみに、逆に切り上げたい場合は**Math.ceil（マス・セイル）**という命令を使います。floor（床）とceil（天井）で、床と天井の間にある数値を、床にそろえる（切り捨て）か、天井にそろえる（切り上げ）イメージです。

```
Math.floor(Math.random() * 6)　──切り捨てて整数に
```

　最後に1を足せば、結果は1～6になるという具合です。「* 6」のところを「* 10」とか「* 100」とかに変えれば、1～10や1～100のランダムな数を出せます。
　このプログラムは、Webブラウザをリロードするたびに表示される数が変わります。

ランダムで1から6が出るプログラム。これで1が出たときだけ「当たり」と表示し、それ以外は「外れ」と表示するくじ引きプログラムを作りましょう。今回はvar num = Math. floor……と1行で書きます。2行に分けていたものを1行にしても働きは同じです。

サンプルファイル名：c3index1.html

```
<script>
var num = Math.floor(Math.random() * 6) + 1;
document.write(num);
if(num === 1){
  document.write(" 当たり ");
} else {
  document.write(" 外れ ");
}
</script>
```

　リロードするたびに数字とともに「当たり」が出たり「外れ」が出たりします。

6外れ

　新たに加えた「if(Ⓐ){Ⓑ}else{Ⓒ}」の部分が、この章で主に取り上げる分岐処理です。**if文**や**if-else文**といいます。ifは「もし〜ならば」という意味で、elseは「そうでなければ」という意味です。この2つを使うことで、「もしⒶならばⒷという処理をして、そうでなければⒸという処理をしろ」といった分岐処理のプログラムを書くことができます。

　詳しく見ていきましょう。ifのあとのカッコ内に「条件式」というものを書き、それが成立するときは1つ目の{}内の処理を、しないときはelseのあとの{}内の処理を実行します。

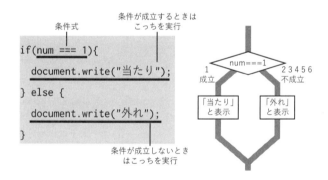

　条件式の「num === 1」が、変数numの中身が1と等しいかという意味です。そうなんです。**JavaScriptでは「===（イコール3つ）」が等しいという意味**なんですね。1つの「=」

だと右辺のものを左辺の変数に入れろ、「===」だと等しいという意味になります。

● 条件式を考えるのがプログラマーの仕事

先ほどのプログラム、実行してみるとなかなか「当たり」が出ませんよね。1～6のうち、1が出たときだけ「当たり」ですから、確率は6分の1です。これでは渋いはずです。そこで、ifのあとのカッコの条件式を変えるだけで、6回に3回、つまり2分の1の確率で「当たり」が出るようにしてみましょう。

6分の1の確率を2分の1に変えるには、どう条件式を変えればいいか。こういったことを考えること自体が、プログラマーの仕事の根幹です。「ルーレットを回すと100人に1人だけ当たるくじ」や「ボスキャラが指パッチンするとプレイヤーの2人に1人がランダムで死んでしまうクソゲー」なども、プログラマーが考える仕事といえます。

2分の1の確率にするにはどうすべきか。まずは、if文の条件式を「num<=3」に変えてみてください。変数numの中身が3以下、つまり1から6の6つの数値のうち、1か2か3のときは条件成立という意味になりますが、結果的にこれは2分の1の確率になることを示します。

サンプルファイル名：c3index2.html

```
<script>
var num = Math.floor(Math.random() * 6) + 1;
document.write(num);
if(num <= 3){
```

```
  document.write(" 当たり ");
} else {
  document.write(" 外れ ");
}
</script>
```

　今度は「当たり」の出る回数が増えましたね。算数で学ぶ
ようなこの記号で、いろいろな条件式が書けるんです。次の
表にまとめておきます。

記号	意味
A === B	AとBは等しい
A !== B	AとBは等しくない
A < B	AはBより小さい
A <= B	AはB以下
A > B	AはBより大きい
A >= B	AはB以上

column

奇数と偶数で当たり外れを決める

　ちなみに、当たりを2分の1の確率にする別の方法もあります。たとえば、出た数が偶数なら当たり、という条件式を考えてみてください。偶数（2と4と6）が出た際は当たりで、それ以外の数（奇数。1と3と5）が出た際は、外れになるという条件で分岐するプログラムです。

サンプルファイル名：c3index3.html

```
<script>
var num = Math.floor(Math.random() * 6) + 1;
document.write(num);
if (num % 2 === 0) {
  document.write(" 当たり ");
} else {
  document.write(" 外れ ");
}
</script>
```

「%（パーセンテージ）」は計算に使う記号の1つで、左辺の数値を、右辺の数値で割った余りを求めます。3 % 2なら「(1)余り1」、4 % 2なら「(2)余り0」、5 % 2なら「(2)余り1」、6 % 2であれば「(3)余り0」となります。つまり2で割ったとき、偶数のときは余り0、奇数のときは余り1になるのです。あとは等しいことをチェックする === と組み合わせると、偶数と奇数で分岐することができます。

このように「num % 2」なら偶数か奇数ですが、「num % 3」や「num % 5」にして、3や5で割り切れる数を探すためにも使えます。

● テストの点数で学生をランク分けするプログラム

ここまで「当たり」と「外れ」と2種類の結果しか出ないくじ引きのプログラムを取り上げてきました。では、結果を何種類か出したいときはどうすればいいでしょうか。

たとえば、数学と英語の試験の点数によって、特待生、合格、補欠合格、不合格と、4種類にランク分けされる学校のことを考えてみたいと思います。

①数学と英語の合計が160点以上なら「特待生」扱いになります。

②①以外で、合計が140点以上なら「合格」扱いになります。

③①と②以外で、合計が120点以上なら「補欠合格」扱いになります。

④①と②と③以外で、つまり合計が120点未満なら「不合格」扱いになります。

このとき注意してほしいのは、②には「①以外で」、③には「①と②以外で」、④には「①と②と③以外で」という条件がつくことです。たとえば180点の場合、「特待生（160点以上）」「合格（140点以上）」「補欠合格（120点以上）」のどの条件も成立していますが、結果は「特待生」でなければいけません。

　こういう場合は、**else if**を使います。直前の条件が成立しないときに条件チェックを行う命令です。これを使えば、「特待生」の条件が成立した場合、それ以降の条件チェックは行わなくなります。

　それではプログラムを書いてみましょう。ここでは、数学と英語の点数は0〜100の乱数で求めています。

サンプルファイル名：c3index4.html

```
<script>
var suugaku = Math.floor(Math.random() * 101);
var eigo = Math.floor(Math.random() * 101);
var sum = suugaku + eigo;
document.write("<p> 数学 : " + suugaku + "</p>");
document.write("<p> 英語 : " + eigo + "</p>");
document.write("<p> 合計 : " + sum + "</p>");
if (sum >= 160) {          合計が 160 点以上
  document.write("<p> 特待生 </p>");
} else if (sum >= 140) {   それ以外で合計が 140 点以上
  document.write("<p> 合格 </p>");
} else if (sum >= 120) {   それ以外で合計が 120 点以上
  document.write("<p> 補欠合格 </p>");
```

```
} else {           それ以外
  document.write("<p> 不合格 </p>");
}
</script>
```

数学: 41

英語: 96

合計: 137

補欠合格

　頭を整理するために、フローチャートを見てみましょう。慣れるまでは、このようにフローチャートを書いて頭を整理することをおすすめします。

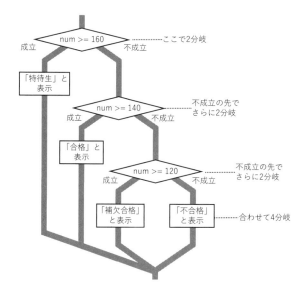

　ちなみに初心者がよくやってしまうのが、else if の代わりにifを使ってしまうことです。

```
<script>
var suugaku = Math.floor(Math.random() * 101);
var eigo = Math.floor(Math.random() * 101);
var sum = suugaku + eigo;
document.write("<p> 数学 : " + suugaku + "</p>");
document.write("<p> 英語 : " + eigo + "</p>");
document.write("<p> 合計 : " + sum + "</p>");
if (sum >= 160) {
  document.write("<p> 特待生 </p>");
} if (sum >= 140) {          if になっている
  document.write("<p> 合格 </p>");
} if (sum >= 120) {          if になっている
  document.write("<p> 補欠合格 </p>");
} else {
  document.write("<p> 不合格 </p>");
}
</script>
```

　これだと、結果が違ってしまいます。たとえば、数学が
94点、英語が71点だった場合は合計は165点なので、特待
生の条件に当てはまるだけでなく、合格扱いの「140点以上」
や、補欠合格扱いの「120点以上」にも当てはまります。そ
のため、「特待生　合格　補欠合格」と3つの結果が表示され
てしまいます。

数学: 94

英語: 71

合計: 165

特待生

合格

補欠合格

　次のページのように、フローチャートを書いてみると、
else ifを使ったものとはまったく流れが違うことがわかりま
すね。図を指でなぞって、処理の流れをたどってみてくださ
い。

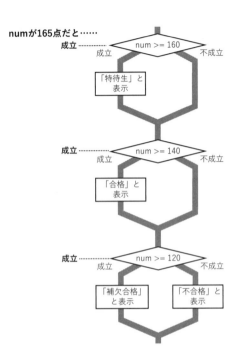

numが165点だと……

成立 …… num >= 160
　　成立　　　　　　　　　不成立

「特待生」と
表示

成立 …… num >= 140
　　成立　　　　　　　　　不成立

「合格」と
表示

成立 …… num >= 120
　　成立　　　　　　　　　不成立

「補欠合格」
と表示　　　　「不合格」と
　　　　　　　表示

　else ifとifの取り違えは、慣れないうちは、よくやりがち
なミスです。こんなミスが起こりうることは、頭の隅に置い
ておいてください。

02 「数値化」を極めよう

● 結婚相手を選ぶプログラムを作ろう

サイコロくじ引きもそれなりに楽しいですが、より実用的なことをやってみたいですよね。というわけで、プログラムに結婚相手を選ばせてみましょう。

よく、「いい人がいたら結婚したい」という人がいます。前章を読んだ方でしたら、「いい人」という曖昧な表現では、コンピューターは基本的に理解できない、ということがわかると思います。**数値で表せる具体的な指標でないと、コンピューターには理解できません**でした。

そこで、「いい人」とはどんな人か、コンピューターにも伝わる具体的な条件を考えてみましょう。あなたの思う「いい人」は身長何センチですか？　年収は何万円以上？　年齢は何歳以下？　このような具体的な指標を書き込んでみてください。

・身長	cm 以上
・年収	万円以上
・年齢	歳以下

今回は次のように指定したと仮定しましょう。

・身長	175 cm 以上
・年収	500 万円以上
・年齢	35 歳以下

指標を書き込んだあたりで、どうプログラムにしたらいい
のか、本章をここまで読んだ読者ならば、なんとなく予想が
ついたんじゃないでしょうか？　先ほどのサイコロくじ引き
で説明した、if文と条件式を使えばよさそうですね。このよ
うに、「よくわからないけど、なんとなく、こういうプログ
ラムを組めばいいのではないか」という方向性を思いつくこ
とができるようになっているだけで、プログラミング的な思
考が育ってきているといってもいいと思います。

　まず、診断したい相手のデータを変数に入れていきます。
身長はheight、収入はincome、年齢はageという変数をそ
れぞれ用意し、その変数にそれぞれの値を入れていくプログ
ラムを書きます。

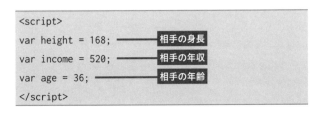

```
<script>
var height = 168;     相手の身長
var income = 520;     相手の年収
var age = 36;         相手の年齢
</script>
```

　判定するif文と条件式を書いていきます。たくさん条件を
並べるときはまず方針を決めましょう。どれか1条件でも成
立していたら合格させる**「いいところ探し」**でいくのか、も
しくは1条件でも不成立だったら不合格にする**「ダメなとこ
ろ探し」**でいくのかを決めてください。それによって条件式
の書き方が変わります。

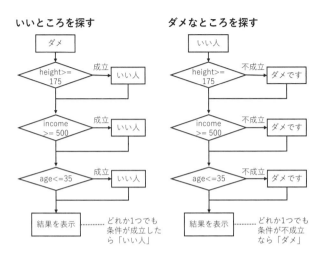

いいところを探す

```
ダメ
  ↓
height>= 175  ──成立──→  いい人
  ↓
income >= 500  ──成立──→  いい人
  ↓
age<=35  ──成立──→  いい人
  ↓
結果を表示  ……… どれか1つでも
              条件が成立した
              ら「いい人」
```

ダメなところを探す

```
いい人
  ↓
height>= 175  ──不成立──→  ダメです
  ↓
income >= 500  ──不成立──→  ダメです
  ↓
age<=35  ──不成立──→  ダメです
  ↓
結果を表示  ……… どれか1つでも
              条件が不成立
              なら「ダメ」
```

　まずは「いいところ探し」でやってみましょう。書き方はいろいろあるのですが、ここでは変数resultを作って、そこにまず「ダメです！」という文字列を入れておきました。if文の条件が成立したらresultの中身を「いい人です！」に入れ替えます。条件は「以上」または「以下」なので、P.105で学んだ「>=」や「<=」を使います。

サンプルファイル名：c3index6.html

```
<script>
var height = 168;
var income = 520;
var age = 36;
var result = " ダメです！";      ← 「ダメです！」を入れる
if( height >= 175 ) {            身長175（cm）以上ならば
```

```
  document.write("<p>身長 OK</p>");
  result = " いい人です！";
}
if( income >= 500 ) {  ━━ 年収 500（万円）以上ならば
  document.write("<p>年収 OK</p>");
  result = " いい人です！";
}
if( age <= 35 ) {  ━━ 年齢 35（歳）以下ならば
  document.write("<p>年齢 OK</p>");
  result = " いい人です！";
}
document.write(result);  ━━ 結果を表示
</script>
```

　この場合はelse if文は使いません。3つに分岐したいわけではなく、「身長175（cm）以上かそうじゃないのか」「年収500（万円）以上かそうじゃないのか」「年齢35（歳）以下かそうじゃないのか」の2分岐を3回連続して行うだけだからです。

　さて、結果はどうでしょうか？

116

「いい人」でしたね。身長と年齢は条件を満たしていませんが、年収だけ条件を満たしています。「いいところ探し」の場合はどれか1つでも条件が成立していれば、resultが「いい人です！」に書き換えられるプログラムになっています。全部条件に当てはまらなければ、最初からresultの変数の箱に入れてある「ダメです！」は変わらずに、そのまま出力されます。

● 条件が不成立のときに発動するプログラム

次は「ダメなところ探し」で判定してみましょう。「ダメなところ探し」では、条件が不成立のときに結果を書き換えるようにします。これも書き方はいろいろあるのですが、やり方の1つとしては「height >= 175（175cm以上なら成立）」という条件を「height < 175（175cm未満なら成立）」に変えるという手があります。ただ、逆の条件を考えるのが面倒なので、ここでは成立／不成立をひっくり返す命令を使います。

ここでは変数resultに「いい人です！」を入れておきました。そのあとのif文で各条件をチェックし、条件が不成立だったらresultを「ダメです！」に入れ替えます。

条件が不成立のときに何かしたい場合は、条件式を !()で囲んでください。！も半角です。条件式の結果が反転して、不成立のときに¦¦内の処理が実行されます。カッコが多いので、間違えないよう注意してください。半角スペースを入れるといくらか見やすくなります。

条件式

```
if( !(height >= 175) ) {
```

!()を付けると「ではない」
という意味になる

サンプルファイル名：c3index7.html

```
<script>
var height = 168;
var income = 520;
var age = 36;
var result = " いい人です！ ";      ←「いい人です！」を入れる
if( !(height >= 175) ) {          ←身長 175（cm）以上でないならば
    document.write("<p> 身長 OUT</p>");
    result = " ダメです！ ";
}
if( !(income >= 500) ) {          ←年収 500（万円）以上でないならば
    document.write("<p> 年収 OUT</p>");
    result = " ダメです！ ";
}
if( !(age <= 35) ) {              ←年齢 35（歳）以下でないならば
    document.write("<p> 年齢 OUT</p>");
    result = " ダメです！ ";
}
document.write(result);          ←結果を表示
</script>
```

実行してみましょう。

118

　結果はダメでした。「ダメなところ探し」は1つでも条件不成立だとアウトになる厳しい判定です。

● 条件が合えば加点するプログラム

　1つでも成立していたら合格や、1つでも不成立なら不合格は、ちょっと極端すぎると思いませんか？　テストでいったら1点でも取れれば合格か、100点満点以外不合格のどちらかということですよね。現実であれば、60点か70点か取れたら、相手として十分ですよね。そんな点数方式で、相手を選ぶことも、プログラムならば可能です。

　まずは、変数resultに0を入れておき、条件式が成立したら10を足します。さっきは「ダメなところ探し」でしたが、今回は「いいところ探し」ベースを使います。

サンプルファイル名：c3index8.html

```
<script>
var height = 168;
var income = 520;
var age = 36;
var result = 0;   最初は変数 result に 0 を入れておく
if (height >= 175) {
```

```
    document.write("<p> 身長 OK</p>");
    result = result + 10;          変数 result に 10 点プラス
}
if (income >= 500) {
    document.write("<p> 年収 OK</p>");
    result = result + 10;          変数 result に 10 点プラス
}
if (age <= 35) {
    document.write("<p> 年齢 OK</p>");
    result = result + 10;          変数 result に 10 点プラス
}                                  100 点満点に補正
result = Math.round(result / 30 * 100);
document.write(result + " 点！ ");
</script>                          「点！」を付けて結果を表示
```

　少し複雑になってきましたが、ここまで学んできたプログ
ラミングのおさらいになっています。条件が成立した場合
は、その時点の変数resultに10を足していき、それを＝の左
辺にある変数resultに入れていきます。

　ただしそのままだと、すべての条件が成立しても
10+10+10で30点満点なので、成績がいいのか悪いのか即断
できません。そこで、変数resultを30で割ってから100を掛
け、**Math.round（マス・ラウンド）** で小数点以下を四捨五
入します。これで100点満点の点数に補正されます。点数に
よる評価でよく使うワザなので覚えておいてください。

　今回の結果は33点。あまりいい相手とはいえなそうです。

　ちなみに、height、income、ageに入れるデータを書き換えて3つの条件とも成立するようにすると、ちゃんと100点満点になります。

●「優先順位の見極め」にも意識が向かう

　結婚に限らず、人を選ぶ条件を改めて整理すると、いろいろ考えさせられます。結婚相手を選ぶプログラムを作っていると、「自分にとってその条件、そんなに大事なのかな……」といった迷いが出てきたんじゃないかと思います。そこで、自分の中の優先順位に合わせて、点数の付け方を変えてみましょう。条件が成立したときに一律で10点を足すのではなく、優先順位が高い条件は大きな点、低い条件は小さな点を足すようにするのです。

　たとえば、身長はそんなにこだわらないけど、年収はこだ

わりたいなど、悩みながら加算する点数を変えてみるので
す。次のプログラムでは身長10点、年収50点、年齢20点と
いう配分にしたので、合計すると80点満点となりますから、
result÷80×100という式で100点満点に補正します。

サンプルファイル名：c3index9.html

```
<script>
var height = 168;
var income = 520;
var age = 36;
var result = 0;
if (height >= 175) {
  document.write("<p> 身長 OK</p>");
  result = result + 10;  ← 身長はこだわらないので + 10 点
}
if (income >= 500) {
  document.write("<p> 年収 OK</p>");
  result = result + 50;  ← 年収には強くこだわるので + 50 点
}
if (age <= 35) {
  document.write("<p> 年齢 OK</p>");
  result = result + 20;  ← 年齢はそこそここだわるので + 20 点
}                        ← 100 点満点に補正
result = Math.round(result / 80 * 100);
document.write(result + " 点！ ");
</script>
```

さて、どうなるでしょうか。

122

　優先順位が「年収＞年齢＞身長」になるよう配点した結果、63点になりました。これは、候補に入るといえそうです。

　前章でも指示を具体化させることを紹介しましたが、**「高身長」「高年収」などのフワッとした条件をハッキリと数値の条件に変えるのは、プログラミングを行ううえでは重要です。**また、今行ったように、優先順位を反映させ、配点をばらつかせることで、役に立つプログラムにする発想も大事です。プログラミング的思考を育てることで、このように、「数値化すること」と「優先順位の見極め」への意識も育ちます。

　人間の判断はその時々の気分に左右されがちですが、プログラムは常に機械的に結果を出します。なので、その答えが正しいかは別として、判断の助けとしてコンピューターによる分析を使うのもいいと思います。

03 「文字」への考え方を変えよう

● 文字が入っているか否かを条件にすると

　身長、年収、年齢はいずれも数値の条件でした。数値の条件はコンピューターで判定しやすいのですが、現実にはそういう条件ばかりではありません。ルックスが好みとか、価値観が似ているかどうかとか、趣味が合うかどうか、などという条件もあります。

　人間の感性に基づいた条件は、人間に任せるしかありません。そのため、数値と違って文字は曖昧なもので、コンピューターでは扱えないと思いがちです。しかし、コンピューターで判定できるものもあります。それは「**文字列（P.65参照）が等しいかどうか**」「**文字列が含まれているかいないか**」といった、文字列関連の条件です。たとえば、趣味は文字列で表せますから、共通する趣味があるかどうかをプログラムで判定することは可能です。

サンプルファイル名：c3index10.html

```
<script>
var hobby =" 読書 映画鑑賞 登山 水泳 サイクリング ";
var result = 0;
if (hobby.includes("登山")) {
   result = result + 30;   ← 趣味に「登山」があったら + 30 点
}
document.write(result + " 点！ ");
</script>
```

文字列の中に特定の文字列が含まれるかどうかは、**includes()** という命令で判定できます。変数hobbyに趣味の文字列をいくつか入れておき、hobby.includes("登山")とすると、登山が含まれていたら30を足すプログラムです。

● 迷惑メールが振り分けられる仕組み

　迷惑メールの分別を例に、文字列関連の条件を考えてみましょう。迷惑メールにはいくつかの種類があり、それぞれよくあるキーワードが含まれています。たとえば、古くからある出会い系メール。仕事の文面で「出会い」などと打つ機会は滅多にありません。なので、メール文面に「出会い」という文字列が入っているものは、迷惑メールと判断できそうです。

　次に、近年多くなっているAmazonや楽天などを装った迷惑メールの場合はどうでしょう。そういった文面には、よく「アカウントを更新できませんでした」とか「あなたのアカウントは停止されました」とかの文章が入っています。ただ、普通の仕事上のメールでも、「アカウント」という文面が入ることは十分考えられますし、「更新」や「停止」といった言葉が入ることも考えられます。

　そこで、「アカウント」「停止」のどちらも入っている場合か、「アカウント」「更新」のどちらも入っている場合は、迷惑メールと判断するとします。もちろん、迷惑メールでないのにこれらの言葉がどちらも使われている可能性もありますね。むやみやたらに一斉削除しないほうがいいのでしょうが、ここでは、あくまで思考実験として割り切ってください。

　図で表すとこんな感じでしょうか。

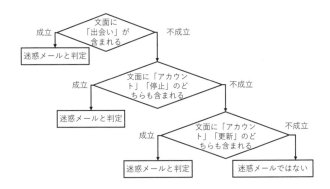

これをプログラムで表してみましょう。また、2つ以上の単語が両方とも含まれているかどうかを判定する場合、「&&（アンパサンド2つ）」という記号を使って2つの条件式を並べます。＆も半角です。

サンプルファイル名：c3index11.html

```
<script>                    メールの文面をここにコピペする
var mail = "メールの文面";
if(mail.includes("出会い")){
  document.write("迷惑メールです");
}else if(mail.includes("アカウント") && mail.
includes("停止")){
  document.write("迷惑メールです");
}else if(mail.includes("アカウント") && mail.
includes("更新")){
  document.write("迷惑メールです");
}else{
```

```
    document.write("迷惑メールではありません");
  }
</script>
```

　メールソフトは迷惑メールを自動振り分け機能を使って振り分けしていますが、あれもプログラミングの考え方はまったく一緒です。あるメールアドレス（ドメイン）の場合は迷惑メールに振り分ける、こんなタイトルがついていたら迷惑メールに振り分ける、といった具合に機能しています。

　Aという結果になったら、Xという対応をして、Bという結果になったら、Yという対応をする。プログラムを書いていると、こういう思考に慣れてきます。そのため、プログラミングをやり始めると、状況に合わせた戦略を考えられるようになったり、事業計画が失敗した場合の善後策を先に考えられるようになったりすることにつながります。

04 「条件処理」で仮説を立てる癖をつける

● カスタマーサービスのマニュアルを考えよう

　ここまでプログラムでの分岐を見てきましたが、現実でも分岐の考え方が役に立つことがあります。それはクレームや危機の対応マニュアルを作る場合です。病院や警察などいろいろ考えられますが、ここではカスタマーセンターを例にマニュアルを検討してみましょう。

　まず、カスタマーセンターにどんな問題が持ち込まれるかを、第1章で出てきたツリー構造で整理してみましょう。カスタマーセンターといってもさまざまなので、ここでは何かの商品のメーカーと仮定します。

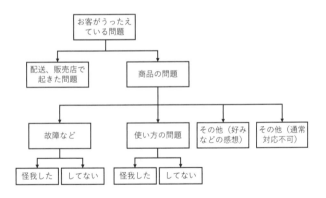

　まず、問題の原因が「商品そのものか」「それ以外なのか」は切り分ける必要がありますね。配送が大幅に遅れたとか、店員の対応が悪いといった問題は、メーカーに直接関係がな

いものと考えられるので、配送店や販売店で対応してほしいことを伝えなければなりません。

　商品の問題の場合は、故障などの物理的な問題なのか、使い方の問題なのかを切り分けます。それ以外の「好みに合わなかった」などの嗜好の問題もありえます。それはそれでユーザーの意見として聞く意義はありますが、緊急性は落ちます。また、商品にいちゃもんをつけられて「強くおどされる」など一般のサポート員では対応しきれない特殊な問題もあるかもしれません。

　種類を切り分けたら、問題の重要度、緊急度を判定します。ユーザーが怪我などの実害を受けた場合は、いち早い対応が必要です。

● 最強の能力「臨機応変」を身につける

　ツリー構造で整理したら、次は分岐処理の形にしていきましょう。分岐の流れ図とツリー構造は、見た目には似ていますが、分岐には分岐するための式が必要です。問題を切り分ける方法を考えなければいけません。また、相手が「怪我をした」といっているのに、「故障ですか、使い方ですか」と質問するのはおかしいですよね。怪我したかどうかの判定は上位に持ってくるべきでしょう。

　いろいろ考えながら整理していくと、ツリー構造で整理したこととは別の形が見えてきました。

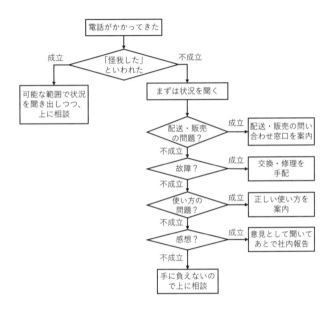

　怪我したかどうかの判定が最初にあり、そのあとは状況を聞き出しつつ、条件のいずれかが成立したら、それに対応する具体的な案内や手配を行います。分岐が縦につながっていく形になるのですね。

　その場で臨機応変かつ適切な対応が取れればベストですが、人によって対応が変わってしまいますし、失敗の可能性も高まります。事前に起こりうる問題を予想しておき、その判定方法まで考えておけば、誰でも適切な「臨機応変の対応」が取れるようになるのです。

● 分岐処理を応用すれば「論破力」も高まる

僕は、ABEMAで、「マッドマックスTV論破王」という番組に出演しています。ここで、僕は番組上、「論破王」として出演し、とろサーモンの久保田かずのぶさん、宮崎謙介さん、有村昆さんといった、マッドな（異常な）方々とディベート対決をしています。

「生まれ変わるならどっち？　絶世の美人・美男子 or 超お金持ち」「ネットでの匿名性は必要 or 不要」「遅刻をするのは悪い？ or 悪くない？」といったお題が、その場で出され、僕のディベート対決者が先にどちらかを選んだあとに、僕は残ったほうを選択し、ディベートを始めます。

僕はその場でテーマを知らされ、相手が先に立場を選ぶので、事前対策ができません。しかし、8割ほどの確率でディベート対決に勝っています。これも、状況に合わせた戦略を考える、という思考法だったりします。

「もし相手がAと主張してきたら、Xと返そう。Bと主張してきたら、Yを攻めよう。それ以外なら、Zという対応をしよう」といった具合に考えていくのですが、プログラミングの条件処理っぽいといわれれば、たしかにそういう対応だったりします（もちろん、プログラミング的なことのみでディベートを構築しているわけではないのですが）。

状況に合わせて戦略を考えられると、「焦る」「慌てる」「あたふたする」といったことを防げるので、「仕事ができないやつ」という烙印を押されることを防ぐことにつながるでしょう。

● プログラミングでシミュレーション力を育てよう

　日常というか人生も、このような分かれ道の連続です。そして、そこから1つの道を選んでいたりします。

　すごく身近な例でいえば、曇り空の中、帰り道でスーパーに寄ったら、雨に降られてしまったとき。「スーパーに寄ったから雨に降られた。寄らなかったら、降られる前に家についたのに」と後悔することもありますね。道を右に曲がったら飲酒運転の車にひかれて死んでしまったということも、ありえます。もし、道を左に曲がっていたら、生きていた可能性が高いわけです。

　もしくは、ある役員と仲良くしてもらっていたら、その人が出世したことで、自分も部長になった場合。「別の役員の派閥に入っていたら、その役員が左遷され、自分も冷や飯を食うことになったかも」という別の道があったことに気づけます。

　もちろん、予測できないことはたくさんありますが、「もしこちらを選んだら、こういう結果が待っていて、あちらを選んだら、こういう結果が待っているかも」といったシミュレーションする力が身につくことに、デメリットはありません。仕事ができる人の中には、こういった「if」思考を持っている人も少なくないです。

　条件処理のプログラムを書いていると、このように仮説を立てる癖がつくのも、ひとつのメリットですね。プログラムを書くことで「if」思考に慣れれば、人生を今より少しだけ"お得"に生きていくことにもつながるでしょう。

第4章

「仕事が速い人」は
ループを見つけている

01 コスパのいい「ループ処理」を覚えよう

●「ループ処理」の基本

　ここまでの順次処理、分岐処理に続いて、3つ目として**「反復処理」**の話をします。電車の線路にたとえるとUターン。前に戻って処理を繰り返します。プログラムの流れが輪を描くようになるので、**「ループ処理」**ともいいます。

反復（Uターン）

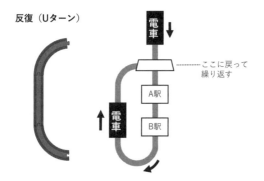

ここに戻って
繰り返す

A駅

B駅

　ループが無限に続くと問題があるため、「10回繰り返したら終わり」といった具合に継続条件を持ちます。分岐のように条件式を使うこともあります（使わないのもあるのですが、今回は割愛します）。

　まずは次のプログラムを見てみてください。

```
<script>
for(var i = 0; i < 10; i = i + 1) {
  document.write(i);
}
</script>
```

document.write()は1つしか書いていないのに、0から9ま
で表示されましたね。これがループです。

● **ループ処理を順次処理で見ると……**

0から9までの数字を出力しましたが、もし、ループ処理
を使わずに、順次処理で対応したら、どうなるでしょう。以
下はそのプログラムです。

```
<script>
document.write(0);
document.write(1);
document.write(2);
document.write(3);
document.write(4);
document.write(5);
```

```
document.write(6);
document.write(7);
document.write(8);
document.write(9);
</script>
```

　とても長い処理になります。しかも、今は0〜9まででし
たからなんとか書けましたが、これを0〜99とか、0〜9999
まで表示するケースだったら、コピペを使っても膨大な時間
と手間がかかってしまいますよね。でもfor文を使えば、継
続条件のところを書き直すだけでいいのです。

```
<script>
for(var i = 0; i < 10000; i = i + 1) {
  document.write(i);
}
</script>
```

● ループ処理をイメージしよう

　今回登場した**for()**はループのための文の1つ（他にも何
種類かあります）で、書き方がちょっとややこしいので、プ
ログラミング入門者泣かせといわれています。ただし、やっ

ていることは書き方ほど難しくないです。

forのあとのカッコ内には「初期化」「条件式」「増減式」という3つの処理が入っています。3つの処理がまとまっているのでややこしく見えるのです。

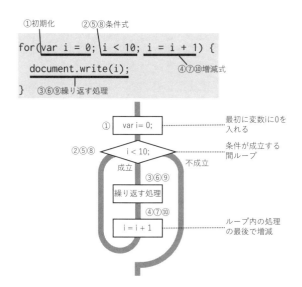

順に説明すると、まずは初期化が行われます。ここでは、変数iに0が代入されることを示しています（①）。初期化はループの最初でしか使われません。

次に右隣の条件式に移ります。変数iに代入されている数字が10より少ないかどうかを調べています（②）。条件に当てはまっていたら、次は｜｜内の繰り返す処理に移ります。条件に当てはまらなかったら、繰り返す処理に移らず、ここでループ処理は終わりです。最初はiに0が入っているので、

10より少ないですから、繰り返す処理に移ります。ここでは、変数iに入っている数字を書き出すプログラミング命令が入っているので、0が出力されるのです（③）。繰り返す処理が終わったら、次は増減式に移ります。変数iは0、それに1を足した結果が、変数iに新たに代入されます（④）。

このあとは、新たに1が加えられた変数iの数字を条件式に当てはめ（⑤）、条件通りならば繰り返す処理（⑥）、そして増減式（⑦）と、条件式が当てはまる限り、条件式（⑧）、繰り返す処理（⑨）、増減式（⑩）をループ処理していくのです。

結果は、変数iが最初は0で、ループの中で1ずつ増えながら、10未満の間繰り返すので0123456789と表示されます。

ループを正しくイメージするには、ループで実行する処理を「順次」のつもりで並べてみることです。つまり、「i<10」「document.write(i)」「i=i+1」をずっと並べてみます。

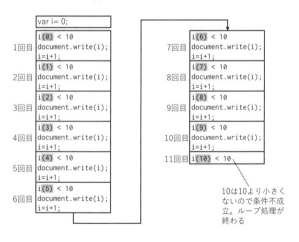

ループは初心者がつまずきやすいところで、第3章のif文を突破してもここで挫折する人もいます。ただ、考え方はそこまで複雑ではありません。たとえば、ダイエットか何かのトレーニングメニューを書くとして、次のように繰り返すところをそのまま書くと長くてわかりにくいですよね。

```
ランニング5分
縄跳び3分
休憩5分
ランニング5分
縄跳び3分
休憩5分
ランニング5分
縄跳び3分
休憩5分
ランニング5分
縄跳び3分
休憩5分
ランニング5分
縄跳び3分
休憩5分
```

　繰り返し部分をまとめると、ラクでわかりやすくなります。

```
以下を5セット繰り返せ
　ランニング5分
　縄跳び3分
　休憩5分
```

これだけのことなんです。

ループ処理でもすべての効率が上がるわけではない？

ループ処理にすると、指示書（プログラム）は短くなります。では、人に指示する際に「ループ処理のように作業してくれ」といったらどうなるでしょうか？　指示される側の立場からすると、やることは変わりません。ループで10回数字を表示するよう指示されたら、数字を表示する仕事を10回しなければいけませんよね。しかも、作業内容はほぼ同じなので、実行時間が短くなることもないです。

ここを見落としていると、プログラムは簡潔でも、回数の多いループがあるせいで、予想外に遅いプログラムができあがったりもします。プログラムが短くなることと、実行時間が短くなる（効率が上がる）ことはイコールではないと、覚えておいてください。

ループ処理をそのまま人間の作業に置き換えたりすると、ラクになるのは指示するほうだけで、やる人間はラクになるわけじゃないし、ブラック仕事に……なんてことにもなりかねません。

ループ処理にできるところを見抜く

● 順次処理をループ処理に変える

前項ではループ処理を順次処理にした例を見せました。しかし、実際のプログラミングでは、順次処理で書いたプログラムを見て、「あ、ここ繰り返しになっているな」と思ってループ処理に直すことのほうが多いのです。

たとえば次の順次のプログラムを見てください。変数sumに10を加えながら表示するプログラムです。

サンプルファイル名：c4index3.html

```
<script>
var sum = 0;
sum = sum + 10;
document.write("<p>" + sum + "</p>");
sum = sum + 10;
document.write("<p>" + sum + "</p>");
sum = sum + 10;
document.write("<p>" + sum + "</p>");
</script>
```

```
c4index3.html          ×   +            ∨  -  □  ×
←  →  C  ① ファイル | C:/Users/        /Desk...  ⛊  ☆  ▣  ★  ☰ᴶ  🍵  :

10

20

30
```

これをループ処理にするのは簡単ですね。変数sumに10を足して表示する処理を3回行っているので、そこをループ処理にすればいいのです。

サンプルファイル名：c4index4.html

```
<script>
var sum = 0;
for(var i = 0; i < 3; i = i + 1){
  sum = sum + 10;
  document.write("<p>" + sum + "</p>");
}
</script>
```

0、1、2の3回ループ処理

　では次はどうでしょうか？　変数sumに足す値が、5、10、15と5ずつ増えています。

サンプルファイル名：c4index5.html

```
<script>
var sum = 0;
sum = sum + 5;
document.write("<p>" + sum + "</p>");
sum = sum + 10;
document.write("<p>" + sum + "</p>");
sum = sum + 15;
document.write("<p>" + sum + "</p>");
</script>
```

　これはいくつかのやり方が考えられるのですが、次の例では、for文によって変数iの数値を1、2、3と変化させ、それに5を掛け算したものを足しています。変数iの初期値を0ではなく1、継続条件をi < 4（4未満）にしている点に注意してください。変数iが1、2、3の場合にループ処理が行われるプログラムです。

サンプルファイル名：c4index6.html

```
<script>
var sum = 0;
for(var i = 1; i < 4; i = i + 1){
  sum = sum + i * 5;
  document.write("<p>" + sum + "</p>");
}
</script>
```

変数 i は 1、2、3 の 3 回で条件成立

i に 5 を掛けたものを sum に足す

● 「3の倍数と3がつく数字でアホになる」プログラム

　最後は少し難問です。以前に「3の倍数と3がつく数字でアホになる」という一発芸が流行ったことがありますよね。あれをプログラムでやってみましょう。ループ処理を使わない形は次の通りです。「アホになる」は顔文字とmarkタグで

再現してみました。

　これを間違えずに入力するのはなかなか大変なので、ダウンロードサンプル（P.187参照）を使ってください。

サンプルファイル名：c4index7.html

```
<script>
document.write("<p>1</p>");
document.write("<p>2</p>");
document.write("<p><mark> ＼ (^o^) ／ 3</mark></p>");
document.write("<p>4</p>");
document.write("<p>5</p>");
document.write("<p><mark> ＼ (^o^) ／ 6</mark></p>");
document.write("<p>7</p>");
document.write("<p>8</p>");
document.write("<p><mark> ＼ (^o^) ／ 9</mark></p>");
document.write("<p>10</p>");
document.write("<p>11</p>");
document.write("<p><mark> ＼ (^o^) ／ 12</mark></p>");
document.write("<p><mark> ＼ (^o^) ／ 13</mark></p>");
document.write("<p>14</p>");
document.write("<p><mark> ＼ (^o^) ／ 15</mark></p>");
document.write("<p>16</p>");
document.write("<p>17</p>");
document.write("<p><mark> ＼ (^o^) ／ 18</mark></p>");
document.write("<p>19</p>");
document.write("<p>20</p>");
document.write("<p><mark> ＼ (^o^) ／ 21</mark></p>");
```

```
document.write("<p>22</p>");
document.write("<p><mark> ＼ (^o^) ／ 23</mark></p>");
document.write("<p><mark> ＼ (^o^) ／ 24</mark></p>");
document.write("<p>25</p>");
document.write("<p>26</p>");
document.write("<p><mark> ＼ (^o^) ／ 27</mark></p>");
document.write("<p>28</p>");
document.write("<p>29</p>");
document.write("<p><mark> ＼ (^o^) ／ 30</mark></p>");
document.write("<p><mark> ＼ (^o^) ／ 31</mark></p>");
document.write("<p><mark> ＼ (^o^) ／ 32</mark></p>");
document.write("<p><mark> ＼ (^o^) ／ 33</mark></p>");
document.write("<p><mark> ＼ (^o^) ／ 34</mark></p>");
document.write("<p><mark> ＼ (^o^) ／ 35</mark></p>");
document.write("<p><mark> ＼ (^o^) ／ 36</mark></p>");
document.write("<p><mark> ＼ (^o^) ／ 37</mark></p>");
document.write("<p><mark> ＼ (^o^) ／ 38</mark></p>");
document.write("<p><mark> ＼ (^o^) ／ 39</mark></p>");
document.write("<p>40</p>");
</script>
```

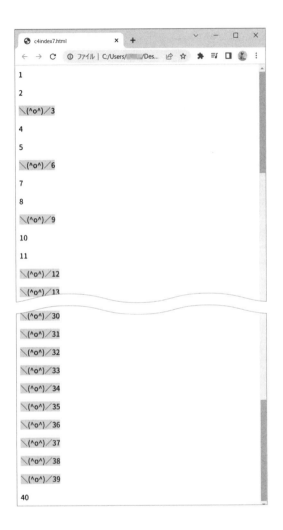

ループ処理でやる方法を考えてみましょう。まず、1〜40
までの数値を出すのは、for文を使うだけなので簡単です。

```
<script>
for(var i = 1; i < 41; i = i + 1){    1〜40までループ
  document.write("<p>" + i + "</p>");
}
</script>
```

　次は「3の倍数と3がつく数字」という条件を満たすときだ
け、アホになる方法を考えます。「3の倍数」という条件のほ
うがコンピューター的には簡単なので、先に片付けましょ
う。これは第3章のP.106で出てきた％記号を使います。3で
割った余りが0であれば、3で割り切れる数だと判定できま
す。

```
<script>
for (var i = 1; i < 41; i = i + 1) {
  if (i % 3 === 0) {    3の倍数のときだけアホになる
    document.write("<p><mark> ＼ (^o^) ／ " + i + "</
mark></p>");
  } else {    そうでないときは普通に表示
    document.write("<p>" + i + "</p>");
  }
}
</script>
```

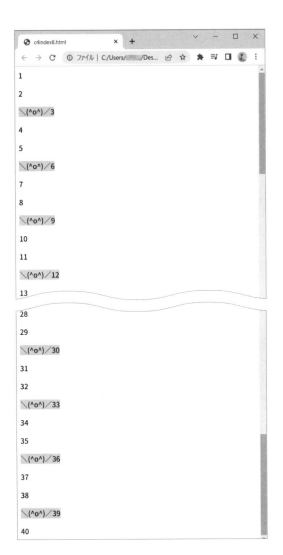

続いて「3がつく数字」のほうですが、考え方がかなり異なります。3の倍数は、数値計算で3で割り切れるという条件です。それに対し、3がつく数字は、数を文字として見たときに「3」という数字を含むという条件です。つまり、数を文字列にする必要があります。それには**String()**という命令を使います。Stringは英語で文字列のことです。文字列に変換すれば、中に「3」という数字（文字列）が入っているかどうかはincludes（P.125参照）で調べられます。

　「3の倍数」か「3がつく数字」のどちらかでアホになるので、2つの条件のどちらかが成立することを表す‖で、2つの条件式を並べます。‖は半角の縦棒（ Shift ＋ ¥ キーを押す）2つです。

サンプルファイル名：c4index8.html

```
<script>
for (var i = 1; i < 41; i = i + 1) {
  if (i % 3 === 0 || String(i).includes("3")) {
    document.write("<p><mark> ＼ (^o^) ／ " + i + "</
mark></p>");
  } else {
    document.write("<p>" + i + "</p>");
  }
}
</script>
```

「3 がつく数字」の条件を追加

　実行してみると、途中までは3の倍数のみのときとだいたい同じですが、30以上はみごとなアホラッシュになります。なるほどそのために、40まで繰り返すネタになっているのですね。

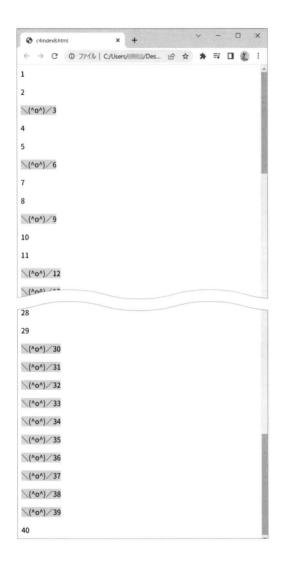

文字列をループ処理するには

ここまでのループ処理の例は計算ばかりでした。では、次のように文字列の表示をループ処理にしたいときはどうしたらいいと思いますか？

サンプルファイル名：c4index9.html

```
<script>
document.write("<p> 山田 </p>");
document.write("<p> 鈴木 </p>");
document.write("<p> 佐藤 </p>");
</script>
```

こういう場合は、文字列を**配列**というものに入れます。配列というのは複数のデータを1つの変数に入れる仕組みのことで、次の例のように[ ]内にカンマ区切りでデータを書きます。配列に入れたデータには、「変数名[0]」「変数名[1]」「変数名[2]」のように番号でアクセスできるので、for文でループ処理ができるようになります。

サンプルファイル名：c4index10.html

```
<script>
var arr = [" 山田 ", " 鈴木 ", " 佐藤 "];
```

配列に入れる

```
for(var i = 0; i < 3; i = i + 1){
  document.write("<p>" + arr[i] + "</p>");─表示
}
</script>
```

　要するに**数値以外のデータでも、番号付きの箱に入れる
ことでループ処理できる**んです。ちょっと難しく感じるか
もしれませんが、番号付きのつながった箱や棚にデータを
入れる様子をイメージしてみてください。

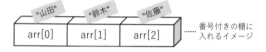

番号付きの棚に
入れるイメージ

03 日常に潜む「ループ」を探そう

● 握手会のファンに効率よく対応するアイドル

　ループ処理は日常にも溢れています。今回は「ライブ後の女性アイドルの握手会」で、ループ処理の考え方を活かしてみましょう。握手会では、ひとりひとりに合わせて個別対応していたら、アイドルが疲れちゃいます。そこで、ループ処理的発想で対応マニュアルを作ると、スタッフの力を借りてコスパよくできたり、気持ちがラクになったりするでしょう。

　たとえば、握手会に抽選で選ばれた100人が来るとします。こういう場合、人数によって対応を変えるというやり方が考えられます。

```
for (var i = 1; i <= 100; i = i + 1){
  if(i <= 30) {                          30人目以下までの対応
    document.write(" 今日は空調効きにくかったですよ
ね？　応援ありがとう！ ");
  }
  else if(31 <= i && i <=60) {   31人目以上60人目以下まで
    document.write(" 今日は皆盛り上がってくれて、ライ
ブ楽しかった！ ");
  } else {                              その他（61人目以上）
    document.write(" 今日はすごく楽しかった！　応援あ
りがとう！ ");
```

```
  }
  アイドルが2秒握手をする ;
  スタッフCが客を去らせる ;
}
```

　1人目から30人目までは、「今日は空調効きにくかったで
すよね？　応援ありがとう！」といって握手をする。31人目
から60人目までは、「今日は皆盛り上がってくれて、ライブ
楽しかった！」といって握手をする。それ以降は、「今日は
すごく楽しかった！　応援ありがとう！」といって握手をす
る。このように、対応をマニュアル化してしまえば、毎回あい
さつに悩まずに済みますよね。もちろん、順番の偶数・奇
数であいさつを切り替えるようにするという手もあります
ね。そうすれば友達と一緒に並んで握手しても、「違うあい
さつをしてくれている！」と喜んでくれるかもしれません。

● **握手会にひげおやじさんが並んだら**

　もう少し、個別対応に近いこともできると思います。たと
えば握手する人が、僕の友人の、死んだ魚の目をした性格の
悪いデブで汗っかきのひげおやじさんだった場合。手に彼の
汗がついていたら、握手するアイドルだって、たまったもの
ではありません。そこで、ひげおやじさんが来たら、スタッ
フが厳戒態勢に入り、ウェットティッシュを渡して手を拭い
てもらい、さらにアルコール消毒をする。ひげおやじさんは
そのスタッフの対応に少しムッとしちゃいますが、アイドル
が「汗かいて大変なのに、応援ありがとう！」といって握手
をする。これで、ひげおやじさんは、「彼女は僕の状況を見

て、自分のためだけに声をかけてくれた！」と狂喜乱舞し、リピーターになって、お金を大量に落としてくれることが予想できます。

　プログラムっぽく表すと、以下のような感じになります。

```
for(var i = 1; i <= 100; i = i + 1){
  if(iの属性 === ひげおやじさん ) {
    スタッフAがウェットティッシュを渡す ;
    スタッフBがアルコール消毒をする ;
    document.write(" 汗かいて大変なのに、応援ありがとう！ ");
  }
  アイドルが 2 秒握手をする ;
  スタッフCが客を去らせる ;
}
```

　次は、成人女性（woman）が来た場合。ひげおやじさんと違って、ウェットティッシュもアルコール消毒も不要そうです。そして、アイドルは「女性が応援してくれるの本当に励みになります！　ありがとう！」という。こういうことで、女性のお客さんもうれしくなり、このあと、ライブ会場でグッズを購入してくれるかもしれません。

```
for(var i = 1; i <= 100; i = i + 1){
  if(iの属性 === woman) {
    document.write(" 女性が応援してくれるの本当に励みになります！　ありがとう！ ");
  }
```

```
  アイドルが 2 秒握手をする ;
  スタッフ C が客を去らせる ;
}
```

● 男の子か女の子どちらかで成立する条件の書き方

次に、子どもが来た場合ですね。このアイドルは子どもが
大好きだったと想定し、子どもの場合はなんと、握手の前に
写真も一緒に撮ってあげるという神対応をするとします。

```
for(var i = 1; i <= 100; i = i + 1){
  if(i の属性 === boy || i の属性 === girl) {
    document.write(" パパ（ママ）と一緒に来てくれたの？
  嬉しいよ！ ");
    アイドルが、スタッフ A かパパ（ママ）に写真を撮っ
  てあげることを促す ;
  }
  アイドルが 2 秒握手をする ;
  スタッフ C が客を去らせる ;
}
```

子どもについては、性別関係ないので、男の子（boy）ま
たは女の子（girl）か、という条件にしました。子どももち
ろん、親もこの対応に大喜びですね。

ひげおやじさん、成人女性、子ども以外については、「ラ
イブ見てて疲れましたよね？　今日は来てくれてありがとう
ございます！」といって、握手をするというマニュアルにす
るとしましょう。

まとめると以下みたいな感じになります。

```
for(var i = 1; i <= 100; i = i + 1){
  if (i の属性 === ひげおやじさん ) {
    スタッフ A がウェットティッシュを渡す ;
    スタッフ B がアルコール消毒をする ;
    document.write(" 汗かいて大変なのに、応援ありがと
う！ ");
  } else if(i の属性 === woman) {
    document.write(" 女性が応援してくれるの本当に励み
になります！　ありがとう！ ");
  } else if(i の属性 === boy || i の属性 === girl) {
    document.write(" パパ（ママ）と一緒に来てくれたの？
嬉しいよ！ ");
    アイドルが、スタッフ A かパパ（ママ）に写真を撮っ
てあげることを促す ;
  } else {
    document.write(" ライブ見てて疲れましたよね？　今
日は来てくれてありがとうございます！ ");
  }
  アイドルが 2 秒握手をする ;
  スタッフ C が客を去らせる ;
}
```

　このように、対応を先に決めておくと、このループ処理に
従い、アイドルとスタッフが動けばいいようになります。無
駄なことを考えずに、コスパよく、握手会をこなせて、ファ
ンを喜ばせることもできるわけです。
　アイドルに詳しいわけではないので、本来はこのようなも
のじゃないかもしれませんが、あくまでプログラミング的な

動きを伝えるためと理解してください。ただ、実際、出禁の
ファンとかの対応は、ひげおやじさんのようなマニュアルが
設定されている気もします。

　そして、このような発想は、アイドルの握手会以外に、営
業マニュアルや接客マニュアルを考えた際も、幅広く使える
概念だと思います。

04 「仕事に熟練する」とは、ループを見出すこと

● 熟練とルーチンワーク

アイドルの握手会の例を紹介しましたが、おそらく初めて握手会をするアイドルは、そんなに効率よく対応できないと思います。しかし、何が何だかわからず夢中でやっていくうちに、「これって前にもやったな」とか「繰り返しだな」とループに気づいて、だんだん対応が洗練されていくのです。

これはアイドルに限った話ではありません。仕事を覚えたての頃は、上から指示されたことをとりあえずこなしていくしかありません。しかし、それを続けていくうちにパターンが見えてきて先が見越せるようになって、気持ちがグッとラクになり、やがては指示されなくても仕事をこなせるようになります。それが「仕事に熟練する」ということです。

これは、少し前に説明した、順次処理をループ処理にする話に似ていませんか？　順次では先頭から順にこなしていくだけですが、その中から繰り返しパターンを見出すことができれば、ループ処理に変えることができます。いったんループ処理にしてしまえば、それを100回繰り返すのも1万回繰り返すのも同じようにできます。それがループ処理のすごさですね。部下の指導に長けた上司なんかも、「新人A君は、昔のXに似ているな。それならばXと同じように指導をしてみるか」というように、ループ処理で人材育成しているケースもあるでしょう。

ループ処理とは、言い方を変えると、ルーチンワークのこ

とです。ルーチンワークという言葉には、「仕事を機械的に流してやる」というマイナスイメージもありますが、仕事に熟練することとルーチンワークとしてこなすことは切り離せません。新たなことを生み出しているように見えるクリエーターも、実はたくみなルーチンワークをこなしているだけかもしれないのです。

　「いつまでも初心を忘れない」のは大事なことかもしれませんが、実際のところ「何年経っても初心者」では困ります。ですから皆さんも積極的に仕事のパターンを見出して、ルーチンワーク化していくことをおすすめします。初心を思い出すのは10回に1回ぐらいでいいんじゃないでしょうか。

```
for(var i = 0; i < 100; i = i + 1){
  if(i % 10 === 0){        ── 100 回のうち 10 回は初心を思い出し、
    初心を思い出す；
} else {                   ── 他はルーチンワークというプログラム
    ルーチンワークでこなす；
  }
}
```

第5章

プログラミングを
学べば、アイデアを形に
する力を得られる

01 Webページを動かせるとは どういうことか?

● Webページを動かす体験をしよう

最後の章では、まず、Webページを動かす体験から始めたいと思います。

最初にWebページにボタンを付けてみましょう。**input タグ**を使い、その中に「type="button"」と入力し、タイプをボタンと指定します。こうすることで、Webページ内にボタンを作ることができます。

2行目以降はulタグとliタグを使った箇条書きです。ulタグに「id="kaiwaList"」というものも付いていますが、これはあとで説明するので、今はその通りに付けてください。

```
<input type="button" id="pushButton" value=" 押す ">
<ul id="kaiwaList">
  <li> 押すなよ？ </li>
  <li> 絶対押すなよ？ </li>
</ul>
```

このHTMLをWebブラウザで読み込むと、ボタンが表示されます。「value="押す"」と指定したので、ボタンには「押す」という文字が表示されています。ただし、このボタンをクリックしても何も起きません。

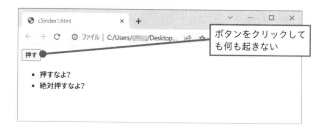

● JavaScriptでHTMLに要素を付け足す

そこで\<script>\</script>を書いて、JavaScriptのプログラムを追加してみましょう。あとで説明するので、ひとまず間違えないように注意しながら入力してください。

サンプルファイル名：c5index1.html

```
<input type="button" id="pushButton" value=" 押す ">
<ul id="kaiwaList">
  <li> 押すなよ？ </li>
  <li> 絶対押すなよ？ </li>
</ul>

<script>
  pushButton.onclick = function(){
    kaiwaList.innerHTML = kaiwaList.innerHTML +
"<li> バシャーン！ </li>";
  };
</script>
```

Webブラウザをリロードしてボタンをクリックすると、今度は変化が現れました。箇条書きに「バシャーン！」とい

う文字が追加されます。クリックするとそのたびに追加される
のを体感してください。

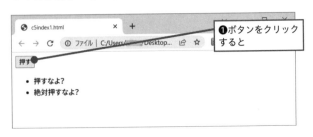

❶ボタンをクリックすると

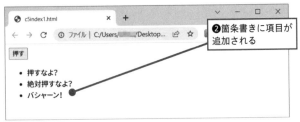

❷箇条書きに項目が追加される

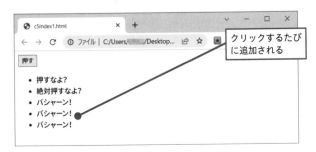

クリックするたびに追加される

　HTMLのinputタグとulタグには、それぞれ「id="push
Button"」「id="kaiwaList"」というものを付けています。これ
はJavaScriptからHTMLを操作するために使う**ID名**という
ものです。ID名は、第1章のページ内リンクでも使いました。

```
<input type="button" id="pushButton" value="押す">
```

このinputタグのID名は「pushButton」

```
<ul id="kaiwaList">
```

このulタグのID名は「kaiwaList」

「pushButton.onclick = function(){ };」が、これひ
とまとめで「pushButtonがクリックされたときに||内の処
理を実行しろ」という意味になります。個々のキーワードは
わからなくてもいいので、英語の構文を覚える感覚で覚えて
ください。要はボタンをクリックしたときだけ||の処理を
実行するようにしているプログラムなんです。

||内の「kaiwaList.innerHTML = kaiwaList.innerHTML
+ "<li>バシャーン！</li>";」が、kaiwaListの中に新た
に項目（<li>バシャーン！</li>）を追加する処理です。
innerHTML（インナーエイチティーエムエル）は「○○の
中のHTML」という意味で、kaiwaList.innerHTMLだった
らkaiwaListの中身、ここでは「<li>押すなよ？</li>」「<li>
絶対押すなよ？</li>」を指します。それを取り出して新た
な"<li>バシャーン！</li>"を連結してから、もう一度「=」
の左辺のkaiwaList.innerHTMLに入れています。そのため、
ボタンをクリックするたびに、「バシャーン！」が追加さ
れたkaiwaList.innerHTMLに書き換えられるプログラムに
なっています。

pushButtonをクリックしたときに{ }の中を実行しろ

```
pushButton.onclick = function(){
  kaiwaList.innerHTML =
          kaiwaList.innerHTML + "<li>バシャーン！</li>";
};
```

kaiwaListの中のHTML　　kaiwaListの中のHTML　　追加するHTML

kaiwaListの中のHTMLを取り出して、"<li>バシャーン！</li>"を連結してから、
kaiwaListの中のHTMLに入れろ

　要素が追加される様子を図で表すと以下のような感じです。文字列を連結するときのように、「+（プラス）」記号を使って、HTMLを連結しています。

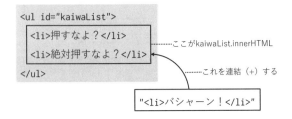

```
<ul id="kaiwaList">
  <li>押すなよ？</li>          ·········ここがkaiwaList.innerHTML
  <li>絶対押すなよ？</li>
</ul>                          ·········これを連結（+）する

                  "<li>バシャーン！</li>"
```

　このプログラム自体がややこしいと感じたら、すぐ忘れてしまってもかまいません。JavaScript部分の1行目に書いた「=function(){ };」とか意味がわからないと思いますが（もちろん意味はあるのですが）、ここらへんの詳しい解説は本格的なJavaScriptのプログラミング入門書を見てくれればと思います。

　1つだけ覚えておいてほしいことがあります。第4章までのJavaScriptのプログラムは、ファイルを読み込んだ時

点ですぐに実行されていました。今回はボタンをクリックしたときだけ実行されます。このように、**ただ見るだけのWebページを、ユーザーが操作できるものに変えるのがJavaScriptの働き**なのです。

● **簡易伝言板を作ってみよう**

　もう少し実用的な感じのするお遊びプログラムも作ってみましょう。

　まず、ユーザーがテキストを入力するためのボックスを追加します。入力ボックスもinputタグで、中に「type="text"」と入力します。textと指定することで、文字（テキスト）を入力するボックスを作ることができるのです。入力ボックスのID名はメッセージを入れる場所という意味で、ここでは「message」としました。

```
<h1> ひろゆきの森の穴 </h1>
<p> 秘密をつぶやいてってね！ </p>
<input type="text" id="message">
<input type="button" id="pushButton" value=" つぶやく
">
<ul id="kaiwaList"></ul>
```

　ファイルを読み込むと、入力ボックスとボタンが表示されます。

　続いて、今作った入力ボックスにメッセージを入力して［つぶやく］ボタンをクリックしたときに、そのつぶやき（秘密）を表示するようにしましょう。さっきの「押すなよ？」プログラムの応用です。入力ボックス内のテキストは **value** という命令で取得できるので、変数 m を作って、そこに入れておきましょう。変数名は「secret」や秘密の頭文字から「h」など好きなものにしてもかまいません。

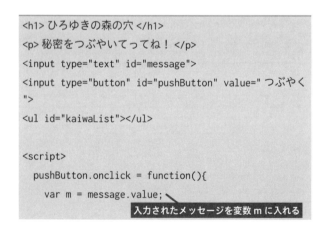

```
変数 m に li タグを連結し、それを = の左辺の変数 m に入れる
m = "<li>あなた「" + m + "」</li>";
kaiwaList.innerHTML = kaiwaList.innerHTML + m;
};
</script>
```

[つぶやく]をクリックすると入力ボックスのメッセージが表示されます。

❶メッセージを入力して［つぶやく］をクリックすると、

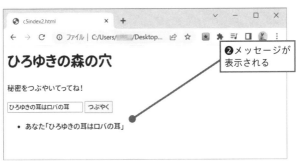

❷メッセージが表示される

● 自動返信ボットを作ろう

　次に、今書いたプログラムにもう少し追記して、簡単な自動返信ボットを作ってみましょう。たとえば、つぶやきの中に「ひろゆき」という単語が入っていたら、「人を呼ぶときは『さん』をつけましょう」と返し、それ以外は、「もふん」と返すボットに作り変えてみましょう。

　ここまで読んできた読者であれば、どんなプログラムを書けばいいか、なんとなく想像がついたのではないでしょうか？　「ひろゆき」という単語が入ったらある対応をして、他は全部もふんで対応する。これを聞いただけで、「分岐処理のif文を使うのではないか？」と想像した方も多いと思います。

　また、勘の鋭い方でしたら、「ひろゆき」という単語が入っていた場合と聞いて、「第3章で紹介されていたincludesというものを使うのではないか？」と思った方もいると思います。

　実際、この2つを使って、先ほどのプログラミングを少し変えてみましょう。書き方はいろいろありますが、シンプルになるように書いてみたつもりです。

サンプルファイル名：c5index2.html

```
<h1> ひろゆきの森の穴 </h1>
<p> 秘密をつぶやいてってね！ </p>
<input type="text" id="message">
<input type="button" id="pushButton" value=" つぶやく ">
<ul id="kaiwaList"></ul>
```

```
<script>
  pushButton.onclick = function(){

    var m = message.value;

    var h_m = " もふん "; ─「もふん」を変数 h_m に入れておく
                          「ひろゆき」というワードが入っているかのチェック追加

    if(m.includes("ひろゆき")){

      h_m = " 人を呼ぶときは『さん』をつけましょう ";

    }      変数 h_m に入っている「もふん」を入れ替える

    m = "<li> あなた「" + m + "」</li>";

    h_m = "<li> ひろゆき「" + h_m + "」</li>";

    kaiwaList.innerHTML = kaiwaList.innerHTML + m;

    kaiwaList.innerHTML = kaiwaList.innerHTML + h_m;

  };
</script>
```

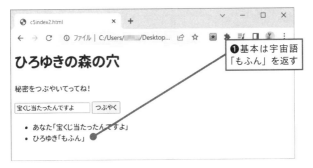

❶基本は宇宙語「もふん」を返す

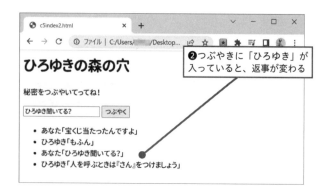

「ひろゆき」という文字列が入っていると、特定の反応「人を呼ぶときは『さん』をつけましょう」が自動で返ってくるプログラムです。ちなみにこのプログラムの場合は、「ひろゆきさん聞いてる？」と打ち込んでも、「ひろゆき」という文字列が入っているため、「人を呼ぶときは『さん』をつけましょう」と返してしまいます。あくまで、自動返信ボットの仕組みを知るためのプログラムだと割り切ってください。

ただ、こんな感じにif文を追加して、チェックするキーワードと返事を増やしていけば、入力に合わせていろいろな言葉を返すボットが作れるようになります。

02 プログラミングでアイデアを 形にする能力が高まる

● 自分の頭の中でWebサービスの構築をイメージできる

ボタンをクリックしたら反応があるプログラム、文字を入力したらそれが表示されるプログラム、また文字に反応して返事を自動で返すボットプログラムを書いてもらいました。その際、「分岐処理のif文を使うのではないか？」とか「includesというものを使うのではないか？」といったことが思いつくことにも触れました。

プログラミングを覚えると、「この仕組みを作るには、このプログラムを実装すればいい」「そのサービスを作るには、今あるプログラムに、こういう機能を加えればいい」といった発想ができるようになります。要はアイデアを形にする能力が高まるんです。

僕もあるWebサービスを作りたいと思ったら、「それならば、今流行っているWebアプリの、あそこを変えれば、作れるかな」と構想したりします。実際のWebサービスやWebアプリの実装は、プログラマーの人に外注することになるかもしれませんが、自分の頭の中で、Webサービスの構築をイメージできるのは、プログラミングをやっていてよかった、と思うことでもあります。

こういう発想をすること自体が楽しい、ワクワクするという人は、本格的にプログラミングを覚えることをすすめます。覚えたてでプログラマーとして転職する、といったことは難しいと思いますが、簡単なWebサービスやWebアプリ

なら、覚えたてでも自分ひとりで作ることは可能です。

● 雑談やニュースも、違って見える

　それにプログラミングを覚えると、日頃、子どもと過ごしていたり、友人や取引先の人と雑談したり、メディアを通してニュースに接したりしたとき、「これ、プログラミングっぽい話だな」と思う機会が増えることもあるでしょう。

　たとえば、子どもがおもちゃ箱の中から、スーパーボールやピンポン球を取り出して、親に渡すことを何度も繰り返すのを見ていると、「おもちゃ箱の中から球体のものを取り出す、親に渡す、を球体のものがなくなるまで繰り返し処理しているのかな？」と思うという具合です。また、いいニュースではありませんでしたが、医学部不正入試問題で、女性と浪人生が一律で減点されていたことが問題になり、ニュースになったことがありました。大問題ですが、プログラミングをしていたら、「男は総合点をそのままで、女は一律20点を引いて、浪人生は一律30点を引く」といったことは、プログラミングでできそうなことだ、と想像がつきます。

　本書の「はじめに」でも触れましたが、プログラミングを覚えることで、世界の見え方がちょっと変わる、という意味はこうしたことです。

03 オリジナルより大事な「模倣」

● 優秀なプログラマーはパクりがうまい

　優秀なプログラマーというと、「オリジナリティ溢れる独特のサービスを作れる人」と思う人もいるかもしれません。ただ、実際に成功しているプログラマーは、そういうタイプではなかったりします。流行っているWebサービスやWebアプリをパクって、似たサービスや、改良したアプリで、二匹目、三匹目のドジョウを狙う。つまり、模倣がうまいプログラマーが、成功を掴むことは結構あります。

　Webサービスという単位で見ても、2000年代のIT事情を知っている読者であれば、ライブドアの成功を覚えている人も多いのではないでしょうか。当時のライブドアのトップページは、ウェブの構成がYahoo!JAPANのトップページそっくりでした。その他に、今のYahoo!知恵袋のようなQ&Aサービス「livedoor knowledge」を作っていましたが、これも「Yahoo! Answers」という先行サービスのフォーマットを真似したようなデザインでした。

　それでも、ライブドアは当時、事業の主軸をそのポータルサイト「ライブドア」に移行して、その後、六本木ヒルズに移転するほど、業績を伸ばしました。

　もし、ポータルサイトのデザインをオリジナルなものにしていたら、開発に時間・お金がかかって、あれほど成功しなかったかもしれません。先行して成功しているYahoo!JAPANを真似ることで、時間とお金をカットして、

急成長した面もあるでしょう。

　ですから、プログラミングで何かサービスを作ろうと思ったら、「独自のものを作ろう」と意気込まずに、成功しているアイデアをパクって、オリジナル要素を少し加えたようなものを作る。そういう気楽な姿勢のほうが成功の近道かもしれません。

● 恥じずにショートカットをしよう

　成功しているアイデアをパクる、という発想の有効性は、プログラミングだけに限りません。たとえば、ライバルの会社が作って成功した商品があれば、それに似たものをライバル社よりも安く作ったり、高機能にして作る。真似ることを恥じて唯一無二のオリジナルなものを作ろうとするより、模倣に走ったほうが労力をかけることなく、ヒット作を作れます。

　ちなみに、JavaScriptの説明のところで、「『=』は等しいという意味ではない。変数にデータを入れろという意味だ」という話が何度か出てきました。「何で？」と思われた方も結構いると思うのですが、現在プログラマーの人にその話をしても、「何とも思わなかった」という人が少なくありません。おそらく「それを使って何ができるか」に興味が集中していて、「なぜ『=』記号を使うか」については、そういう決まりにしたんだなと、受け入れてしまったのでしょう。

　一方、「何で？」と思うまではいいのですが、「不思議だ。その謎を解かないと一歩も進めない」とこだわってしまう方は、プログラミングの挫折の一歩手前だったりします。

　訓練された犬が「伏せ！」と命令されて伏せるのは、エサ

をあげたり叱ったりして教えた結果です。「伏せ！」という言葉自体は犬にとって何の意味もなく、「飛べ！」と命令して伏せさせることも可能です。

　プログラムの命令もそれと同じで、「＝」が変数に入れろという命令であることに深い意味はないことが多いんです（「＝」が変数に入れろという意味になった経緯はあるのですが割愛します）。

　プログラミングの世界は、「そのほうがラクだから」とか「なりゆきでそうなったが今さら変えられない」みたいなルールがたくさんあります。なのでプログラミングを学ぶのであれば、そこにはあまりこだわらず、それこそショートカットしていきましょう。「これを使ったらどんなプログラムが作れるだろう」という気持ちになったほうが、上達が早まります。

04 プログラミングを 本格的に学ぼうとしたら

● フロントエンドとバックエンド

ここまでHTMLとJavaScriptを体験してもらってきました。日々プログラムを作っている**プログラマー**という職業に興味が湧いた方もいるのではないかと思います。本書の最後では、プログラマーについて説明していきたいと思います。

ひとことでプログラマーといっても、いろいろなジャンルがあります。大まかにピックアップしてみました。

・Webサービス（Webアプリ）を作る「Webエンジニア」
・スマホアプリやパソコン用アプリを作る「アプリ開発者」
・ゲームを作る「ゲーム開発者」
・炊飯器やエアコンなどの家電を動かすプログラムを作る「組み込みエンジニア」
・職業プログラマーではないが、本業の効率アップのためにマクロなどを作る人

本書はHTMLとJavaScriptから入っていますし、僕自身も「2ちゃんねる」という掲示板などのWebサービスを開発していましたから、Webエンジニアを掘り下げてみましょう。

第1章でも簡単に触れましたが、Webの世界はWebブラウザとサーバーコンピューターの2つで構成されています。Webブラウザ側の世界のことを、ユーザーの前面にあるも

のという意味で**フロントエンド**、サーバーコンピューター側の世界のことを、裏方という意味の**バックエンド**といいます。現実の世界にたとえると、フロントエンドはお客さんに直接対応する店舗と店員にあたり、バックエンドは各店舗を統括する存在、たとえば本社とか工場とか倉庫などに相当します。

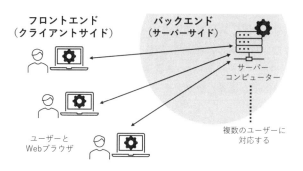

フロントエンド（クライアントサイド）

バックエンド（サーバーサイド）

サーバーコンピューター

ユーザーとWebブラウザ

複数のユーザーに対応する

Twitterを例に、フロントエンドとバックエンドの役割を説明しましょう。Twitterの画面では、つぶやきを投稿できたり、写真や動画を追加できたりします。これはフロントエンドの守備範囲で、Webサービスの使い勝手はここで決まります。

Twitterのバックエンドは、世界中のフロントエンドから送られて来た「つぶやき」や「画像」「動画」のデータを受け取って、データベースというものに記録します。また、その記録の中からユーザーがフォローした人のつぶやきをピックアップし、フロントエンドに送る仕事もしています。

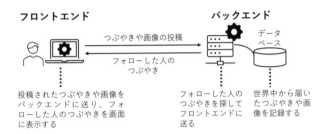

フロントエンド　　　　　　　　　　バックエンド

つぶやきや画像の投稿

データベース

フォローした人の
つぶやき

投稿されたつぶやきや画像を
バックエンドに送り、フォ
ローした人のつぶやきを画面
に表示する

フォローした人の
つぶやきを探して
フロントエンドに
送る

世界中から届い
たつぶやきや画
像を記録する

● プログラミング言語にもいろいろある

　なぜフロントエンドとバックエンドという少し難しい話を
したかというと、この2つの世界では使用するプログラミン
グ言語が異なるからです。

　本書で取り上げたHTMLとJavaScriptはフロントエンド
の守備範囲です。その他にページをもっとカッコよくデザイ
ンするために使うCSSという言語もあり、主にこの3つを組
み合わせて、ユーザーに接する部分を作っていきます。3つ
に限られているのは、Webブラウザが理解できるのがこの3
つのプログラミング言語だからです。

　これに対してバックエンドでは、HTMLを書き出して
Webブラウザに送ることができれば、どのプログラミング
言語でもいいので、選択肢がとても幅広くなっています。

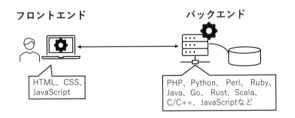

フロントエンド　　　　　　　　　　バックエンド

HTML、CSS、
JavaScript

PHP、Python、Perl、Ruby、
Java、Go、Rust、Scala、
C/C++、JavaScriptなど

主なプログラミング言語の特徴を紹介しましょう。HTML
とCSSは省きます。

1) JavaScript

　JavaScriptはフロントエンド開発に使える点が最大の特徴
です。主な用途とまではいえませんが、パソコン用アプリや
バックエンド、表計算ソフトやDTPソフトのマクロにも使
われます。比較的覚えやすくて、守備範囲も広いおすすめ言
語です。

2) PHP

　PHPはWebのバックエンド専用の言語です。バックエン
ド専用だけあって、Web関連の機能が標準で充実しており、
HTMLの書き出しがラクなどのメリットがあります。短期
間でバックエンドを開発できるようになりたい人におすすめ
です。

3) Perl

　Perlは「2ちゃんねる」のバックエンドにも使われていた
プログラミング言語です。もともとはテキスト処理などの手
軽な自動化に使われており、その手軽さから黎明期のWeb
のバックエンドに採用されました。1990〜2000年代のWeb
サービスの多くは、Perlで開発されています。

4) Python

　Pythonは最近ブームのプログラミング言語で、AIやデー
タ分析などに長けているため大学や研究機関などで使われて

おり、Webのバックエンド開発で使われるケースも増えています。また、覚えやすさでいえばJavaScriptやPHPよりも上です。特に何をしたいかが思いつかないけれど、ひとまずプログラミングを学んでみたいという人におすすめです。

5) Java

Javaは、Webのバックエンド、パソコンやスマホ用アプリ開発など幅広く使われています。JavaScriptと名前が似ていますが、関係ありません。Javaの特徴はプログラムが長くなることです。それは欠点じゃないかと思われるかもしれませんが、その代わりに他よりもエラーが起きにくくなっています。そのため、バックエンドに限らず、安定したプログラムを開発したい場所で使われています。

6) C/C++

C/C++は、C言語と、それを拡張したC++言語の2つをまとめた呼び方です。高速なプログラムを作れるので、アプリやOS、ゲーム、家電の組み込みマイコンなど、速度が要求される世界で使われています。Webのバックエンドでは、他よりも極端に速度が要求される場合にC/C++が使われています。難易度はかなり高めです。

いろいろなものを紹介したので、少し混乱したかもしれません。大まかに分けてみると、Web開発のために作られたのはJavaScriptとPHPの2つで、それ以外のプログラミング言語は本来は別の目的で作られ、用途の1つがWebのバックエンドという感じです。言語によって、覚えやすさ重視、

書きやすさ重視、安定性重視など細かな方向性の違いがありますが、そこはある程度知識がないとわからない世界なので、本書での説明は省きます。

　いろいろありますが、どれを学んでもOKです。フロントエンド開発が目的ならほぼJavaScript一択ですが、バックエンドではどの言語も同程度に使われています。プログラミング言語は、ときに包丁などの道具にたとえられます。包丁によって使い勝手や得意不得意は微妙に違います。でも、ちゃんとした料理人が使えば、どの包丁でも料理は作れます。プログラミングもそれと同じです。

　また、どのプログラミング言語にも変数やif文やfor文があって大まかな書き方は似ているので、1つ覚えれば、他に乗り換えるのもそれほど難しくはありません。

05 プログラミングを学ぶ メリットは何か

● **実験的思考を身につけ、試行錯誤しよう**

これまでプログラミングについて、実践や考え方など、いろいろな側面から説明してきました。最後に、プログラミングを学ぶメリットについて、追記したいと思います。

第一に挙げられるメリットは、**お金や人材がなくても、サービスを形にしてスタートアップできる**点です。

たとえばFacebookというSNSをご存じの人も多いでしょう。あれは、マーク・ザッカーバーグが大学生だった頃に、PHPというプログラミング言語を使って開発したサービスです。学生間の交流サービスとして始まったFacebookは、徐々にスケールを拡大していき、現在では全世界に数十億人のユーザーを抱える巨大サービスに成長しました。このように成長できた理由は、もちろんザッカーバーグの着眼点のよさもあったと思います。しかし、プログラミングができなければ、頭にイメージするサービスを形にすることはできなかったのも事実です。

第二のメリットは、プログラミングを学ぶことで**コンピューターという生き物の扱い方**がわかるという点です。現代社会は、コンピューターなしでは仕事も生活も成り立たなくなりつつあります。ということは、コンピューターをただのブラックボックスと思って使うのと、どういう理屈で動いているのかを知っていて使うのとでは、大きな差が出てくるはずです。

第三のメリットは、**仮説→実践→証明という実験的思考**を身につけられる点です。プログラミングは暗記だけでは学べないもので、エラーが出たらなぜ間違ったのかの仮説を立てて原因を探し、プログラムを少しずつ修正していくトライ・アンド・エラー（試行錯誤）が欠かせないからです。「日本は、失敗することを恐れて、トライ・アンド・エラーをする場があまりない」と思っている人も多いかもしれませんが、プログラミングは、そういうことが経験できる場でもあります。

● 日本のITは迷走している？

　現在の世界は、GAFAとかGAFAMとかビッグ・テックなどと呼ばれる、IT企業によって支配されているといわれています。これらはすべてアメリカ企業で、日本やその他の国の企業は入っていません。他の国はともかく、日本企業の伸び悩みは、IT革命に乗れなかったためともいわれています。1990年前後にバブルが崩壊したとはいえ、かなり早い段階でインターネットやパソコンが普及したにもかかわらずです。

　日本のITが迷走している理由には、経営層のITリテラシーが低い、完璧主義で失敗を許さない、平均思考が強い国民性など、いろいろな説があります。いずれにしても、日本から特異的な人物が現れて、アメリカのようにビッグ・テックを産み出すというのは、なかなか難しいのではないかと思います。おそらく日本が現状から脱却するには、学校でのプログラミング教育を続けて、平均的なITリテラシーを上げ、誰でもITで起業に挑戦できるような状況に持っていくしかないでしょう。数十年はかかりそうですが……。

ということで、この本を読んでくれた読者の中から、プログラミングに挑戦する人が一人でも増え、少しでもその時計の針を進める助けとなれば幸いだと思っています。

サンプルファイルのダウンロード

本書で、図解に「サンプルファイル名：」と記載があるものは、以下の小社Webサイトでダウンロードできます。

▶本書サポートページ

```
https://isbn2.sbcr.jp/08224/
```

ダウンロードのURLかQRコードでプロダクトサイトに飛びます。そこからダウンロードまで進むには、書影の下にある「サポート情報」のタブ内にダウンロードのリンクがあるので、それをクリックしてください。そのページの「サンプルファイル」をクリックしてZIPファイルを任意の場所に保存してください。

▶ご質問について
・ ご質問は、上記サポートページの「サポート情報」のタブ内にある「お問い合わせ」ボタンをクリックし、お問い合わせフォームをご利用ください。お電話では承っておりません。

・ご質問は本書の記述に関することのみとさせていただいて
おります。従いまして、○○ページの○○行目というよう
に記述箇所をはっきりお書き添えください。記述箇所が明
記されていない場合、ご質問を承れないことがございま
す。
・ご質問の回答の返信は、数日ないしそれ以上かかる場合が
ございます。あらかじめご了承ください。

ZIP ファイルがダウンロードされたら、それを展開してく
ださい。Windows 10の場合は次のように操作します。

❶ ZIP ファイルを右
クリックして［すべ
て展開］をクリック

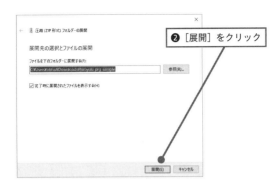

❷ [展開] をクリック

　ファイル名先頭のc1〜c5は、このファイルが登場する章番号を表しています。お手本が必要な場合は、これらのファイルを「メモ帳」などのテキストエディタで開いてください。

❸展開したサンプルファイル

❹メモ帳で開いた状態

第1章で使用する「ひげおやじさん」と「ひろゆきさん」の画像ファイルも入っています。

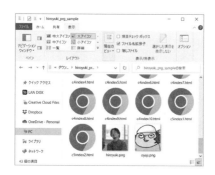

● macOSのテキストエディットについて

テキストエディットでHTMLファイルを編集するには、[環境設定] ダイアログを表示し、次の設定を行ってください。そうしないとHTMLのタグを編集することができません。

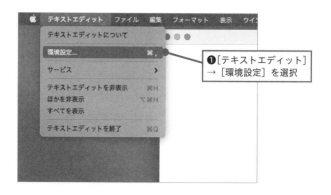

❶[テキストエディット] → [環境設定] を選択

❷［開く / 保存］を
クリック

❸［HTML ファイルを、
フォーマットしたテキ
ストではなく HTML
コードとして表示］

❹［ファイルを開くとき］
と［ファイルを保存する
とき］から［Unicode
（UTF-8）］を選択

著者略歴

ひろゆき［西村博之］

1976年、神奈川県生まれ。東京都・赤羽に移り住み、中央大学に進学。在学中に米国・アーカンソー州に留学。1999年に、インターネットの匿名掲示板「2ちゃんねる」を開設し、管理人となる。2005年に、「ニコニコ動画」の管理人に就任。2015年に、英語圏最大の匿名掲示板「4chan」の管理人となる。2019年、インターネット上のコミュニティサービス「ペンギン村」を開設し、村長に就任。著書多数。

SB新書　588

プログラマーは世界をどう見ているのか

2022年 7月15日　初版第1刷発行

著　　　者	**ひろゆき**［西村博之］
発 行 者	小川 淳
発 行 所	**SBクリエイティブ株式会社**
	〒106-0032　東京都港区六本木2-4-5
	電話：03-5549-1201（営業部）
装　　　幀	杉山健太郎
本文デザイン	横塚あかり（株式会社リブロワークス）
企画・構成協力	中野エディット
構成・執筆協力	大津雄一郎（株式会社リブロワークス）
校　　　閲	株式会社東京出版サービスセンター
印刷・製本	大日本印刷株式会社

本書をお読みになったご意見・ご感想を下記URL、または左記QRコードよりお寄せください。

https://isbn2.sbcr.jp/08224/